POURQUOI LIRE ?

DU MÊME AUTEUR

Essais

ENCYCLOPÉDIE CAPRICIEUSE DU TOUT ET DU RIEN, Grasset et Le Livre
de Poche.
DICTIONNAIRE ÉGOÏSTE DE LA LITTÉRATURE FRANÇAISE, Grasset et Le
Livre de Poche.
LA GUERRE DU CLICHÉ, Les Belles Lettres.
IL N'Y A PAS D'INDOCHINE, Les Belles Lettres.
REMY DE GOURMONT, Cher Vieux Daim !, Grasset.

Romans

JE M'APPELLE FRANÇOIS, Grasset et Le Livre de Poche.
UN FILM D'AMOUR, Grasset, Le Livre de Poche et iPad.
NOS VIES HÂTIVES, Grasset et Le Livre de Poche.
CONFITURES DE CRIMES, Les Belles Lettres.

Poèmes

LES NAGEURS, Grasset.
LA DIVA AUX LONGS CILS *(poèmes 1991-2010)*, Grasset.
EN SOUVENIR DES LONG-COURRIERS, Les Belles Lettres.
BESTIAIRE, Les Belles Lettres.
À QUOI SERVENT LES AVIONS ?, Les Belles Lettres.
CE QUI SE PASSE VRAIMENT DANS LES TOILES DE JOUY, Les Belles
Lettres.
QUE LE SIÈCLE COMMENCE, Les Belles Lettres.
LE CHAUFFEUR EST TOUJOURS SEUL, La Différence.

Traductions

Francis Scott Fitzgerald, UN LÉGUME, « Les Cahiers rouges », Grasset.
Oscar Wilde, ARISTOTE À L'HEURE DU THÉ, « Les Cahiers rouges »,
Grasset.

CHARLES DANTZIG

POURQUOI LIRE ?

BERNARD GRASSET
PARIS

IL A ÉTÉ TIRÉ DE CET OUVRAGE
CINQ EXEMPLAIRES DE VENTE NUMÉROTÉS DE 1 À 5
ET CINQ EXEMPLAIRES HORS COMMERCE NUMÉROTÉS DE A À E,
SUR VERGÉ RIVES IVOIRE CLAIR
DES PAPETERIES ARJO WIGGINS,
LE TOUT CONSTITUANT L'ÉDITION ORIGINALE.

ISBN 978-2-246-77931-5

Cherche le paradis.
Oracle chaldaïque

Apprendre à lire

Pourquoi je lis ? Je lis comme je marche, sans doute. D'ailleurs, je lis en marchant. Si je vous racontais le nombre de rencontres que j'ai faites grâce à ça ! Plus d'un horodateur de Paris a été ému de m'entendre lui dire « pardon monsieur ! » après que je m'étais cogné à lui en lisant un livre ou un autre. Au reste, ce n'est pas parce qu'on fait une chose aussi spontanément que marcher ou lire qu'il est inutile d'y réfléchir. La spontanéité ne légitime pas tout. Il y a des meurtres spontanés.

« Spontanément. » Dans un premier temps, j'avais écrit « naturellement ». Or, la lecture n'est pas plus naturelle que la marche. C'est même un des actes les plus acquis qui soient. Difficile, parfois. Tout le monde n'apprend pas à lire avec facilité. Il serait intéressant d'enquêter là-dessus. Les grands lecteurs

9

seraient-ils des gens qui ont appris à lire facilement ? Pour ma part, cela a été facile, et presque immédiat. On m'a fait répéter un B, A, BA pendant quelques jours et, soudain, tout s'est libéré. J'ai lu. Cela vient peut-être de ce que c'était tardif ; au cours préparatoire ; j'avais 5 ans. Je vivais dans l'indignation depuis un an. La plupart de mes amis avaient appris à lire en dernière année de maternelle. « Pourquoi ne m'apprend-on pas, à moi ? » demandais-je sans arrêt à mes parents embêtés. Ils n'avaient rien d'autre à me répondre que : « C'est la méthode de ton école. Il te faut attendre le cours préparatoire. » Et moi, montrant du doigt tout ce que je croisais d'écrit, affiches, panneaux, couvertures de magazines, je demandais : « Qu'est-ce qui est écrit ? » Il me semblait qu'on me faisait une grande injustice. Qu'on retardait mon entrée dans la compréhension du monde.

Les enfants de 5 ans sont très intelligents. Et naïfs. Pour moi, l'écrit devait me permettre de comprendre ce qui se passait autour de moi. Cela se passait ouvertement, mais mystérieusement. Quelle était, non pas la raison de toutes ces choses, mais leur articulation ? Comment tout cela était-il lié ? Je faisais à l'écrit une confiance absolue pour me le dire. Alors que je me méfiais de la parole. Celle de mes parents, en particulier. J'en sentais le pouvoir avant d'en admettre la finesse, que je contestais donc. J'ai toujours eu un problème avec l'autorité. Encore maintenant, rien ne m'indigne comme ce qu'on appelle les arguments d'autorité, qui consistent comme on sait à invoquer une autorité supposée pour faire taire les questions. Ils s'opposent au raisonnement, au merveilleux raisonnement, merveilleux parce qu'il est fondé sur la confiance. Les arguments d'autorité sont fondés sur le mépris. Ma défiance de l'autorité avait pour pendant cette confiance presque magique dans l'écrit. Une phrase, selon le petit barbare que j'étais, serait une clef. Et d'ailleurs une phrase, ça ressemblait assez à une clef. Noire, longue, avec des cédilles qui avaient l'air des ergots dépassant du canon, je ne connais pas le mot. Et voilà accessoirement une utilité des mots, c'est qu'ils permettent d'économiser des phrases. Le trousseau de clefs que constituaient les bibliothèques de ma famille m'ouvriraient les portes du Trésor. L'écrit était une chose abstraite et désintéressée qui ne parlait pas pour obtenir quelque chose.

Je me demande si je n'avais pas pressenti sans le savoir ce qu'est la littérature. Une des définitions qu'on pourrait en donner est qu'elle est sans doute la seule forme d'écrit qui n'ait pas pour objet de servir. Et c'est d'elle que je parle ici en tentant de répondre à la question « Pourquoi lire ? » : pourquoi lire *de la littérature* ?

On peut lire des mémoires historiques, des programmes politiques, des traités d'astronomie, des manuels de bridge, tout ça, c'est pour acquérir du savoir. Et le savoir est peu de chose. Tout le monde peut savoir. Quantité de brutes ou d'imbéciles sont remplis de savoir. Ce qui importe davantage, c'est, disons, l'analogie. La littérature, et en particulier la fiction, est une forme d'analogie. Ou plus précisément, une des formes de compréhension par l'analogie. Ou plus précisément, une des formes de compréhension par l'analogie qui agit sur les sentiments en plus de l'intelligence. Analogie, sentiment. Voilà qui est différent de cet autre mode de compréhension qu'est la philosophie, et qui, elle, s'appuie sur l'analyse et l'intellect.

C'est bien sûr cette partie sentimentale qui donne sa séduction à la littérature. Et son danger. Elle peut nous abuser par ses images comme des enfants. Elle peut aussi nous faire comprendre plus vite les choses, et peut-être d'autres choses, que la philosophie ou la psychologie. Et cette compréhension livresque des choses... Livresque... Je n'ai jamais bien compris le sens péjoratif attaché à l'adjectif « livresque ». Il accompagne le sens péjoratif que la société, restée brutale sous sa fine couche de ce qu'on appelle civilisation et qui ne sont sans doute que quelques manières de table, attache aux choses de l'esprit. Tiens, le raisonnement. Je ne suis pas sûr qu'il soit aimé. Dès qu'un enfant exaspère ses parents, ils le traitent de raisonneur. Il y a encore « littérature » et tous les mots qui y sont reliés. « Tout ça c'est de la littérature. » « Arrête de faire du roman ! » « Tout un poème ! » On imagine le scandale si j'osais dire, avec le même dédain : « Tout ça c'est de la charcuterie. » Le syndicat des bouchers-charcutiers me ferait un procès, il y aurait débat à la télévision, on me pousserait à la repentance. *Et on aurait raison.* Aucune catégorie n'est haïssable en soi. Ces gens qui emploient péjorativement les mots liés à la littérature feraient bien de se repentir eux-mêmes ; de reconnaître que c'est très bien, « livresque ». Pour moi, presque tout ce que j'ai appris de bien, je l'ai appris par les livres. Et ma compréhension du monde, ou le peu que j'en ai, s'est obscurcie à partir du moment où j'ai eu de l'expérience.

Toute mon enfance, j'ai entendu : « Va donc jouer au jardin ! » On n'estimait pas que lire était malsain, je n'ai pas une famille aussi vulgaire, c'était pour varier mes occupations. Je n'en avais qu'une, lire. De temps à autre, je jouais pour faire plaisir à mes parents. Et, sous le regard enamouré de ma mère, je poussais une petite voiture sur une route dessinée à la craie en m'ennuyant considérablement. Je crois que j'étais un enfant qui avait horreur des devoirs, en tout cas d'un devoir en particulier : celui de s'amuser. Je m'amusais beaucoup plus dans les livres que dans les jeux, et ne parlons pas des sports. Je jouais aux petites voitures,

13

puis, quand l'enfantillage de mes parents était satisfait, je retournais au bonheur des bonheurs, lire. Ah, voilà une autre raison de lire, sans doute. Lire, c'est beaucoup plus intéressant que de se distraire.

L'âge des lectures

Mme du Deffand enfant prêchait l'athéisme à ses camarades de classe. On lui envoie un prêtre, personne moins que Massillon, le prédicateur. Il se dépêche, car il prépare l'oraison funèbre de Louis XIV qu'il va prononcer dans dix ans. Froufrou de soutane. Il s'enferme avec l'enfant. Ils parlent. Quelle punition va être la sienne ! se disent les bonnes sœurs effrayées à l'idée d'avoir requis trop haut. Massillon sort. Le petit troupeau s'approche. « Elle est charmante », dit Massillon. Ce sont les temps qui étaient charmants. (Enfin, pour cinq mille personnes. Dans ma famille, on devait récurer les casseroles à la cuisine.) On aurait pu croire que la modération avait vaincu, mais non, les forces révolutionnaires du passé sont là, fraîches comme une cave, et nous revoici bousculés par les mistrals des religions. À Port-au-Prince, le lendemain du tremblement de terre de 2010, dix mille témoins de Jéhovah, dix mille, sont sortis dans la rue sous la conduite d'un pasteur en criant : « C'était écrit ! Le luxe et la luxure ont été punis ! C'était écrit ! » La religiosité est la vengeance des pauvres, la catastrophe est la consolation des miséreux. Et l'illusion auréole le tout. C'est ainsi que des malheureux, encore plus malheureux que les autres parce que ces autres, ceux du luxe, avaient les moyens de quitter le pays ou de reconstruire leur maison et parfois même celle-ci, bien conçue, ne s'était pas effondrée, se croyaient vengés, sous la conduite de charlatans. Notre besoin de superstition est impossible à rassasier.

Comme Mme du Deffand, j'ai été un enfant athée. Sans revendication, tranquillement. Le catéchisme me paraissait l'ennui sur la terre, et la confession, un scandale. Je m'en accommodais avec l'angoisse puis l'ennui de trouver des péchés plausibles. Ma seule véritable indignation, au fond, était de devoir m'ennuyer autant à la messe. Heureusement, ma grand-mère maternelle, fort pieuse, m'avait offert un couvre-missel en cuir. J'y dissimulais une *Chartreuse de Parme* que je lisais avec une *passion* qui émouvait les dames de l'église.

J'aimais beaucoup ce qui n'était pas de mon âge. Depuis quelques années déjà, dans la bibliothèque de mon père, je volais du Verlaine et du Musset, les deux premiers écrivains pour adultes que j'ai lus. Quand on m'offrait des lectures distrayantes, je n'en étais pas content. Je me rappelle encore combien j'ai été choqué quand, vers l'âge de 11 ou 12 ans, on m'a offert un Jules Verne. L'image de ce scandale m'est restée, la couverture du livre, un poche qui reprenait l'illustration de la collection Hetzel. On me prenait pour un enfant ! Ah ah, j'avais deviné votre complot, adultes ! Nous rendre plus dociles par des lectures inoffensives ! J'avais pour me protéger ma caverne de Platon, ces bibliothèques de ma famille. Tous les trésors du monde étaient là, à portée de la main. J'explorais, comme un archéologue qui n'aurait eu que l'embarras du choix entre des milliers de sarcophages. Il me suffisait de les ouvrir, et les momies me parlaient. Ou plutôt chantaient. J'étais très sensible, je le suis encore, à une chose que je ne savais bien sûr pas nommer, et qu'on pourrait appeler la mélodie de la pensée. Autre caractéristique de la littérature, peut-être.

Hélas, l'adolescence est un âge d'obscurcissement et il a été pour moi, je l'éprouve encore, un moment de douleur où il m'a semblé que toute ma connaissance sensible du monde s'enfuyait. Je ne comprenais plus rien. C'est à ce moment incertain que je me suis trouvé dans l'état des miséreux de Haïti. Et, vers 16 ans, j'ai eu une crise de catholicisme, à cause de la littérature. Le premier motif de nombre de nos actes, à nous autres qui deviendrons écrivains, ne serait-il pas l'imitation littéraire ? *L'Homme de Nazareth* d'Anthony

Burgess, une vie de Jésus, m'a assez frappé pour que je me mette à croire en Dieu. Une double chose, un rythme et une contradiction, m'avaient plu dans ce roman. Le rythme, énergique, et la contradiction, d'une idée reçue. Burgess écrit que les représentations de Jésus maigre sont ineptes ; ce fils de charpentier qui avait manié des bûches et parcouru la Palestine à pied était évidemment un costaud. Ni Burgess, ni moi, n'avions tenu compte des crucifix baroques où des sculpteurs alléchés se sont enchantés à montrer des cuisses moelleuses et des biceps craquants. C'était mon défaut, ça l'a longtemps été, ça l'est sans doute encore, ce goût de la contradiction. Il n'a pour bon côté que, autant que le goût de contredire, celui d'être contredit. La controverse m'a toujours paru un plaisir en plus d'un art. Je tiens moins à avoir raison qu'à la compagnie des êtres. On se parle, on discute, on se querelle, on tente de raisonner, on est avec quelqu'un. Mon contradicteur, mon frère. On pourrait imprimer un avertissement au dos des livres : « ATTENTION ! Les lectures qui vont trop dans le sens de vos pensées ou de vos goûts peuvent être dangereuses. »

C'est dans le moment de faiblesse que la lecture peut être dangereuse. Le responsable n'est pas le livre, ni même tout à fait le lecteur, mais la combinaison malheureuse des deux. Dans la liste des livres à ne pas lire dans les moments de faiblesse, on pourrait ajouter

livre	*type de moment*
La Fêlure, Francis Scott Fitzgerald	quand on est au bord de la dépression nerveuse
Mein Kampf, Adolf Hitler	quand on a perdu son emploi depuis des années dans un pays à forte inflation

Etc., et tout peut donc être dangereux. La vie est dangereuse. On ne l'accuse pas.

C'est en 6e que j'ai vu ma mère se faire sermonner par un professeur jugeant inquiétant que je lise Baudelaire. Je vénérais « La vie antérieure », recopiée par moi au dos d'un poster que j'avais scotché à l'intérieur d'un placard de ma chambre, secret entre moi et moi. La lecture révèle des choses impudiques, précieuses et fragiles, on n'est pas obligé de tout en dire. Si on lit un livre comme on lit, c'est-à-dire penché sur des pages et en silence, c'est que, dans ce tête-à-tête, sont exclus les malhonnêtes, les brutes et les imbéciles qui adorent se scandaliser, que ce soit par intérêt ou sincèrement. Et je me saoulais, dans le poème de Baudelaire, du début, « J'ai longtemps habité sous de vastes portiques / Que les soleils marins teignaient de mille feux », image sœur des images peintes par le Lorrain dans des tableaux dont je raffolais où des princesses triomphantes et mélancoliques montent à bord de navires joufflus à l'heure du crépuscule. Trente ans plus tard, j'ai refusé de participer à une émission télévisée sur les enfants où l'on m'aurait demandé mon avis sur la poésie. « Je n'aurai rien de plus à dire que : "Donnez-leur des lectures qui ne sont pas de leur âge" », ai-je répondu à la journaliste qui m'invitait. Pour ma part, je ne m'en suis pas trop mal porté. Les enfants ont un sens moral très développé, ils savent très bien départir le bien du mal, l'admissible du réprouvé, sont inatteignables par la perversité et ne s'intéressent pas à ce qui ne les intéresse pas. Et puis, ça éveillera peut-être leur acuité esthétique.

Le lecteur égoïste

La bibliothèque de ma grand-mère maternelle regorgeait d'éditions numérotées, qu'elle appelait « grands papiers », certains portant la signature d'écrivains célèbres. Je trouvais cela prestigieux et s'en augmentait mon amour déjà immense pour cette femme ; il y aurait un livre à écrire sur les écrivains à grand-mère. Il y a les écrivains à mère, comme Albert Cohen. Il y a les écrivains à sœur, comme Flaubert. Il y a les écrivains à père, comme Stendhal ou Dickens. Il y a les écrivains à oncles, comme Roger Nimier. Le dieu des écrivains à grand-mère serait Marcel Proust. Il pouffe en disant des horreurs derrière son gant de chevreau sous le regard éternellement bienveillant d'une vieille dame à cheveux blancs à la fois dure et bonne qui adore lire. Cette grand-mère, enfin, celle du narrateur d'*À la recherche du temps perdu*, m'a appris l'intérêt des comparaisons apparemment insolites. C'est elle qui trouve des ressemblances entre Mme de Sévigné et Dostoïevski, n'est-ce pas. La mienne m'apprenait comment manipuler les ouvrages précieux, leurs codes et les règles de courtoisie à leur endroit : divers états des gravures au début des volumes, les ouvrir avec précaution, etc., etc. Je caressais le papier japon impérial, plus doux que de l'ivoire poli, avec volupté. Une des désolations du monde actuel, à part les dictatures théocratiques et les assassinats de peuples – mais non, d'ailleurs, cela a toujours existé, et, la violence humaine étant plus ou moins éternelle et très profonde, c'est à la surface, la si décriée surface où poussent pourtant les fleurs, que se gagnent les vagues moments un peu tendres de la vie, cette désolation oui oui j'y arrive est la fin de la fabrication du papier japon. On a j'espère compensé par d'autres raffinements.

Ce n'était pas vers les japons que je courais quand j'étais seul. Le lecteur n'est pas nécessairement un bibliophile, pas plus qu'un bibliophile n'est nécessairement un lecteur. Il suffit de voir la cote des écrivains selon les uns et les autres. Georges Duhamel vaut encore cher chez les libraires d'ancien à cause de ses tirages limités, il ne vaut plus grand-chose au jugement des lecteurs. Tony Duvert n'est pas coté chez les premiers mais a une valeur inestimable chez les seconds. Pour moi, je voulais de l'imprimé qu'on pût souligner et dans les marges duquel on pût suspendre des annotations. On m'avait appris que c'était la meilleure façon de lire, et c'est vrai. Un lecteur n'est pas un consommateur qui ferait disparaître les livres en les mangeant. Quand on dit qu'il dévore, l'image est hasardeuse. Un bon lecteur écrit en même temps qu'il lit. Il entoure, raie, met des appréciations dans tous les interstices laissés libres par l'imprimeur. Si je montrais mes volumes de Proust, on comprendrait pourquoi j'en achète régulièrement de nouvelles éditions. Ce n'est pas par fétichisme. Je *dois* le faire. Les pages de garde et les marges sont bourrées de lignes manuscrites qui courent comme des lombrics dans tous les sens, s'entortillant jusque dans les marges intérieures ; les lignes mêmes de Proust sont soulignées, encodées, barbouillées. Il n'a pas ajouté autant de paperoles à ses pages que moi d'appréciations. Un bon lecteur est un tatoueur. Il s'approprie, tant soit peu, le bétail des livres.

En comparant les annotations d'un même livre par deux lecteurs différents, on comprendrait qu'un livre n'est pas une œuvre d'art plastique, laquelle se laisse regarder et existe sauf catastrophe plus longtemps que le premier public qui l'a vue. S'il a un sens à peu près unique, celui qu'a voulu l'auteur, chaque lecteur d'un livre lui trouve une résonance particulière. C'est ce qui faisait dire à Paul Valéry :

Mes vers ont le sens qu'on leur prête. Celui que je leur donne ne s'ajuste qu'à moi, et n'est opposable à personne. C'est une erreur contraire à la nature de la poésie, et qui lui serait même mortelle, que de prétendre qu'à tout poème correspond un sens véritable, unique, et conforme ou identique à quelque pensée de l'auteur.

Commentaire de *Charmes*, *Variété III*

On lit pour comprendre le monde, on lit pour se comprendre soi-même. Si on est un peu généreux, il arrive qu'on lise aussi pour comprendre l'auteur. Je crois que cela n'arrive qu'aux plus grands lecteurs, une fois qu'ils ont assouvi les deux premiers besoins, la compréhension du monde et la compréhension d'eux-mêmes. Lire fait chanter les momies, mais on ne lit pas pour cela. On ne lit pas pour le livre, on lit pour soi. Il n'y a pas plus égoïste qu'un lecteur.

Lire ne nous change pas

Une expérience rassurante et désolante à la fois consiste à comparer ses annotations dans des livres qu'on relit. Cela m'est arrivé, par hasard d'abord, car je ne suis pas si ami ou ennemi de moi-même que, ouvrant un livre, j'aille voir ce que j'y avais gribouillé, par curiosité ensuite ; j'ai remarqué que, à des années d'écart, je souligne à peu près toujours les mêmes passages. Hélas, nous restons toujours les mêmes. La lecture nous modifie peu. Elle nous perfectionne peut-être, éventuellement, un peu, mais un salaud ne restera pas moins un salaud après avoir lu Racine. Par rapport à un salaud inculte, il sera un salaud orné. En sens inverse, un homme bon ne sera pas rendu mauvais par la lecture d'un méchant livre. La mauvaise influence de la lecture est une légende aussi stupide que sa bonne influence. Elle participe de l'idée, peut-être nécessaire à sa survie dans un monde qui, de toute éternité et pour l'éternité sans doute, n'aime que l'utile, selon laquelle la littérature est morale. (Ou immorale, c'est pareil.) Heureusement, reste la fraîcheur du talent, qui nous fait nous exclamer à chaque relecture comme si c'était une découverte.

Lire pour se trouver
(sans s'être cherché)

Un livre n'est pas fait pour les lecteurs, il n'est même pas fait pour son auteur, il n'est fait pour personne. Il est fait pour être. Un livre fait pour les lecteurs les prend pour un public. On a écrit avec une intention. Qu'elle soit de plaire ou de persuader, c'est une forme de condescendance. Pour l'œuvre, d'abord, qui est instrumentalisée, et d'ailleurs moins bonne, l'auteur s'étant éloigné de sa matière ; pour les lecteurs qui, voyant qu'on ne les prend pas pour des êtres libres de leurs jugements et de leurs choix, en sont offensés. Qu'est-ce que c'est que cette démagogie ? On veut nous faire frétiller en nous jetant des os sentimentaux ? Nous préférons entrer en contrebande dans la tête de l'auteur, pour y prendre ce que nous voulons. Si nous nous retrouvons dans des livres, tant mieux, mais nous ne lisons pas pour ça. Égoïste ne veut pas dire narcissique. Le plaisir n'est que plus grand, quand nous avons l'heureuse surprise d'être touchés. Il faut être un peu voleur, sans quoi la lecture serait trop de vertu.

Dans l'avion où j'écrivais ces lignes, je me suis interrompu pour lire un Thomas Bernhard, *Le Naufragé*. *Der Untergeher*. 1983. Traduction française, 1986. 1986 ! J'aurais pu le lire à sa sortie. Je le fais 24 ans après. 24 ans. 24 ! Tout ce que j'aurai manqué comme grandes choses, à ma mort ! Et quel atroce caprice est la lecture, atroce pour les auteurs ! Tout ce qui périt de talents par défaut de lecture ! Les bons lecteurs, on devrait les enfermer pour lire ! On leur verserait un salaire et ils ne feraient que ça, sauver la littérature en la lisant ! 24 ans ! Bon, assez, la scène de Molière. Reprenant cet écrivain que je n'avais pas lu depuis longtemps, j'ai été frappé par le nombre de phrases qui pourraient servir à un « Autoportrait par Thomas Bernhard ».

Au fond, je hais la nature, disait-il encore et toujours. […] La nature est contre moi, disait Glenn […]

Mais nous pouvons quitter ce lieu de naissance s'il menace de nous écraser, quitter et déserter ce qui nous anéantira si nous omettons de le quitter et de le déserter au moment voulu. J'ai eu de la chance et j'ai…

… mais il ne s'agit pas de moi, de nous. Il y a de la complaisance à trop vouloir trouver dans les livres ce qui nous ressemble. Dans Thomas Bernhard, je rencontrerais aussi bien

> Quand j'avais un livre à la main, elle me poursuivait jusqu'au moment où je mettais le livre de côté, elle triomphait lorsque, plein de rage, je le lui lançais à la figure.
>
> *Béton* (1982)

ce que, le dieu de la lecture le sait, je n'ai pas vécu. Chaque homme est unique, c'est ce qu'on apprend à force de lire et de ne pas se trouver entier dans les livres. Ce n'est pas nous dans les livres qui nous fait juger que les livres sont bons, c'est le talent. Ce n'est pas aux personnages, aux idées qu'on veut ressembler. On veut ressembler au talent.

Le dieu de la lecture

Le dieu de la lecture ?... mais il n'y en a pas. L'homme s'est gardé de l'inventer. Les lecteurs savaient trop bien le danger qu'il y aurait eu à se faire valoir. Une activité conjointe de l'esprit et de la sensibilité, quelle horreur ! Au demeurant, le lecteur devenant invisible aux autres à force de s'abstraire de la vie pratique, il est bien normal qu'on ne lui voie pas de protecteur.

Le dieu est dans l'escalier (de bibliothèque).

Lire pour être articulé

Sa lecture terminée, un lecteur ne redevient pas vierge comme un fichier effacé. Il est lui-même complété de phrases ; mais alors, avec quelle fascination ! Des écharpes qui vont dans le vent et qu'il suivrait au bout du monde. Mon adolescence s'est bercée dans le hamac d'un vers de Heine, *« Ich weiss nicht was soll es bedeuten, dass ich so traurig bin »*. Oui, c'est ça, « La Lorelei », je ne sais pas ce que cela peut bien signifier, cette tristesse que j'éprouve, et je me le répétais, répétais, répétais, enivré d'avoir trouvé un si bel habit à la tristesse que j'éprouvais et ne trouvais pas déplaisant d'éprouver. Nous choisissons, dans nos lectures, les vêtements de nos sensations, les paroles de nos bouches muettes, l'éloquence de nos pensées borborygmiques.

Peu de phrases m'ont plus frappé, à cet âge, que celle de Prospero dans *La Tempête* (IV, 1) : *« We are such stuff as dreams are made on »*, nous sommes de l'étoffe dont nos rêves sont faits. (*« We are such stuff / As dreams are made on, and our little life / Is rounded with a sleep »*... et notre petite vie / est cernée de sommeil.) Je l'écrivais partout, je me la répétais, je cherchais à pénétrer son sens qui m'avait illuminé. Il y avait aussi : « La nuance, ennemie de la finesse », dans Balzac. Je l'avais lue en feuilletant un livre de poche, comme je travaillais, l'été, dans une librairie. Imbécile, j'avais refermé la page et rangé le livre. Deux minutes plus tard et pendant vingt jours, je cherchais vainement la phrase dans le livre. Je peux dire : vingt ans, car je ne l'ai jamais retrouvée, ayant de plus oublié de quel Balzac il s'agissait. Ô fantôme, reviendras-tu, au soir de ma vie, me sourire dans un livre de lui ? Et ce sera le moment où, avant même d'avoir fini de la relire, je m'éteindrai.

L'invisible corps de ballet

Les livres ne sont pas seulement des objets remplis de quelque chose que nous chercherions avec une voracité distraite. David Grossman (*Dans la peau de Gisela*, 2008) parle des «livres qui l'ont lu». Il doit y avoir de ça. Les lecteurs sont la proie des livres.

Les livres se nourrissent des lecteurs. Ils ont besoin d'être parlés par eux. Ainsi se répand, dans une portion de l'esprit public, une certaine façon de regarder certaines choses qui est ce que la littérature apporte. Elle n'est pas composée d'idées, mais de faits observés d'une manière si personnelle qu'il se crée un charme intellectuel suivi par des lecteurs enchantés. Ils marchent dans la rue, l'air semblable aux autres, mais si on pouvait regarder en eux, on verrait... Elle, oui... Lui aussi... Lui non, il est opaque. Lui non plus, il est plein de chiffres. Lui, oui... Elle... On verrait les rêveries du corps de ballet des quelques centaines de milliers de grands lecteurs dans le monde.

Lire recrée

Nous lisons par égoïsme, mais nous arrivons sans l'avoir voulu à un résultat altruiste. En lisant, nous avons fait revivre une pensée endormie. Qu'est-ce qu'un livre, sinon une Belle au bois dormant, qu'est-ce qu'un lecteur, sinon son Prince Charmant, même s'il a des lunettes, une chevelure pelée et 98 ans ? Un livre fermé, ça existe, mais ça ne vit pas. C'est un parallélépipède rectangle, probablement couvert d'une fine couche de poussière, et vide comme une boîte peut être vide. Toute lecture est, disons, recréatrice. Mallarmé exagérait quand il soutenait que le lecteur était le créateur du poème. « Revivificateur » aurait suffi. Nous sommes d'assez grandes personnes pour admettre que, si important que soit le rôle du lecteur, ce n'est pas lui qui a créé l'œuvre.

Lire pour ne pas laisser les cadavres reposer en paix

Le lecteur n'est pas aussi passif qu'il pourrait le croire. Sous ses aspects d'écoute d'un monologue, la lecture est une forme de conversation. Ce qu'on appelle conversation, en général, est un brillant soliloque écouté par des auditeurs éblouis, et parfois patients. Dans la lecture, une pensée léthargique est activée par une pensée apparemment passive. Apparemment. Elle est agissante, à cause des mécanismes de la sensibilité et de la mémoire. Ils choisissent les passages qui l'émeuvent. Où l'on retrouve la caractéristique sensible de la littérature. Elle et sa cousine maigre la lecture ont une chose en commun, la vibration. Ce qui fait qu'une phrase de littérature, écrite et lue, est différente d'une phrase de tout autre domaine de l'écrit, c'est cette vibration, qui vient de son impureté même.

J'ai assez tendance à prendre les mots dans leur acception originelle, sans la connotation que l'usage a pu leur donner, et j'ai tort. L'usage pose un filtre coloré sur la plupart d'entre eux. Si je ne prends pas le soin, au moment de les employer, de dire que je n'en tiens pas compte, le monde les verra colorés et moi seul dans le sens que j'entends. Je pourrais prétendre que, à force d'employer les mots dans leur sens le plus proche de leur formation, cela créera des phrases légèrement intrigantes qui arrêteront les lecteurs ; et ils comprendront ; et ils aimeront avoir compris mieux que d'autres ; j'aurai créé un club de connaisseurs. Cela devient parfois des clubs de millions de personnes, comme Proust. Il suffit de savoir que, *au départ*, on était mille. Quelle idée, snob et naïve. Enfin. Disons qu'elle participe d'un sentiment japonais : nous sommes quelques-uns à tenter de préserver une chose délicate et plus grande que nous. Je prenais « impureté » au sens de « mélangé », comme un liquide peut être impur. L'impureté de la littérature vient de ce qu'elle mêle au raisonnement la risible émotion. De là sa forme si particulière. Je parle en général. La littérature comme écrit mélangé d'émotion. Je ne crois pas au « style » en ce qu'il serait le mode de parler absolument spécifique à chaque bon écrivain. Les moi se croient souvent uniques. Or, ils ressortissent à des types. La personne humaine est sacrée, mais les personnalités appartiennent à des ensembles ; avec des nuances, certes, qui font que chacun est réellement un et irremplaçable (c'est la principale objection au meurtre), mais cela ne suffit pas pour dire : « Donnez-moi une phrase, je reconnaîtrai l'écrivain. » On peut reconnaître le type (l'enthousiaste, le grincheux, le vengeur...), ce qui donne un indice, mais pour reconnaître la personne, il faut, en plus, les idées. Ouf, un bon écrivain est un écrivain qui pense. Et voilà pourquoi les auteurs particulièrement denses, comme Proust, peuvent provoquer des commentaires à l'infini. Des lecteurs extrêmement différents y trouvent de quoi se satisfaire. Les commentaires appellent eux-mêmes des commentaires, créant l'apothéose de la lecture créatrice, le talmudisme.

C'est là qu'il faut prendre garde que le livre ne devienne une bible. On ne lit pas par foi, et un écrivain n'est pas un dieu. On peut aimer et brusquer, on doit même le faire, je pense. Je ne suis pas pour laisser les cadavres reposer en paix. Un cadavre qu'on laisse reposer en paix est définitivement mort.

*

Bombardez les cimetières ! supplient les squelettes qui, la nuit, sortant des tombes, tendent leurs métatarses vers le ventre des avions qui partent en clignotant vers des ailleurs.

On ne lit que par amour

S'il faut le dire avant la fin, mais je suis autant contre les conclusions, qui prétendent clore, que contre les introductions, qui croyant justifier apportent le soupçon, le fond des choses, quand on a beaucoup lu, c'est qu'on lit par amour. On commence par être amoureux des personnages ; on le devient de l'auteur ; on l'est enfin de la littérature. Et c'est cette princesse qu'on cherche à perpétuité, rampant le cou tendu et la bouche avide en direction de la fraîcheur lustrale et éblouissante que nous avions ressentie à nos premières lectures et que nous ne ressentons plus, en éprouvant de la tristesse, peut-être à tort. Nous avons perdu de la naïveté, mais aussi de l'ignorance. N'ayant rien lu, le plus chétif talent nous était Pavarotti. J'imagine que l'explorateur, quand il entre dans la jungle, s'extasie au premier ver de mille et une pattes qu'il croise ; mais lorsque, après des mois de marche, il arrive à la clairière où les fées dansent au chant des oiseaux-lyres, *il n'est pas blasé.* Même si on lit beaucoup, la quantité de lectures n'anéantit pas leur qualité.

Le charme de la littérature est souvent créé par le lecteur en état d'enfance. Beaucoup y restent. Ce sont ceux qui transforment les romans en best-sellers. Et les femmes restées des gamines rêvant d'amour mènent à 300 000 des nunucheries qui pansent la douleur d'avoir pour mari un goujat qui mange les coudes sur la table, et les hommes restés des adolescents à idées quittent les émissions de foot sur TF1 pour les romans d'anticipation écrits par des cons apocalyptiques.

Parfois, le glacial savoir double l'attelage du tiède amour *[tiède : qualité]* et le souffle blanc sortant des naseaux en verre de ses chevaux de neige *[ah, le plaisir vicieux de mal écrire en se faisant croire que c'est bien écrit !]* nous fait perdre notre ingénuité. Et voilà pourquoi les très grands lecteurs deviennent de plus en plus difficiles, cherchant dans la rareté une saveur si forte qu'ils puissent ressentir quelque chose après avoir tant et tant lu et de moins en moins éprouvé. Ce sont des assoiffés dans le désert que des tankers d'eau fraîche ne désaltéreraient pas. À boire ! À boire ! crient-ils en rejetant du coude les coupes de Dickinson 1868 et les jéroboams de Boccace 1350.

Lire pour la haine

Certains lisent par haine. Ce sont les écrivains jaloux de leurs confrères et les critiques jaloux de tout le monde. Les premiers répètent : « On ne se lit pas, on se surveille. » Grande générosité. J'imagine qu'ils méprisent Malraux qui, un jour qu'on lui avait transmis le manuscrit qu'un jeune auteur venait d'envoyer chez Gallimard, se tapa sur les cuisses en le lisant : « Ah, le petit copain ! Ah, le petit copain ! » (C'est Berl qui le raconte.) Que ce jeune auteur ait été quelqu'un écrivant aussi mal que Pierre Drieu La Rochelle est autre chose. Il avait un genre qui pouvait plaire à Malraux, Drieu, et puis il était d'époque, et ça paraît moderne, quand ça apparaît, l'auteur d'époque. Malraux a écrit *Le Temps du mépris*, on pourrait classer le monde en hommes qui aiment la satisfaction amère de mépriser et hommes qui n'y pensent même pas. Les seconds sont en danger. On peut aussi le classer en haïsseurs de Malraux ou pas. Ça a longtemps signalé un certain type d'homme, la haine de Malraux. Et puis ça passe. C'est comme Camus. En 1955, ne pas aimer Camus pouvait vouloir dire inhumain (fasciste ou stalinien) ; en 2010, les querelles politiques dans lesquelles il avait pris position étant éteintes, cela n'existe plus, sinon dans l'esprit de ceux qui ont connu ces temps et s'y sont crispés, ne pouvant pas imaginer des raisons littéraires à une opposition à Camus. Enfin, il y a aussi des gens intelligents de 85 ans.

Quelle engeance, les écrivains ! Un pédiluve d'envie. Je crois que je vais me faire auteur dramatique, ils se détestent moins, si l'on en croit Paddy Chayefsky, l'auteur de *The Latent Heterosexual* (1968), qu'il faudra que je lise. C'est Antonia Fraser qui le raconte, dans *Vous partez déjà ?* (*Must You Go ?*, 2010), journal intime commenté de son mariage avec Harold Pinter, très intéressant, so chic, un peu trop peut-être. Deux pages pourraient rester comme le résumé de ce qu'aura été la petite bande de la « gauche caviar » dans la deuxième moitié du XXe siècle en Occident : la section anglaise recevant en frémissant un révolutionnaire d'Amérique du Sud devenu depuis un petit chef local, Daniel Ortega du Nicaragua. La candeur de ces gens n'est pas antipathique, car elle procède d'un désir de faire bien, quand l'opposition systématique au progrès procède parfois de la pensée de mépris.

Cherchant un exemple parmi les critiques jaloux, il n'y en a pas tellement, j'ai passé quelques jours à lire des articles dans un magazine où je me disais que je pourrais en trouver. J'ai trouvé, je n'en sors pas heureux. C'est comme d'avoir fouillé les poubelles. J'ai fait la découverte d'une femme grand juge du style des autres qui écrit comme une lycéenne hargneuse et qui, parce-qu'elle écrit des platitudes avec brutalité, se croit perspicace. Elle aime attaquer les écrivains. Les gens qui nous attaquent n'ont pas toujours du talent. C'est pour cela qu'il ne leur reste souvent que la vulgarité. Pour compenser son absence de raisonnement, elle écrit en « nous ». « Nous », les pages Culture de son magazine, annexant à ses malversations des gens qui sont bien gênés de ces manières de secte. Et voilà comment une boutonneuse se croit oracle. Il y a donc une lecture qui rampe et bave. N'ayant aucun goût pour ce qui ne me fait pas plaisir, j'en laisse l'étude aux moralistes.

MAINTENANT,
UN PEU D'AIR FRAIS.

Turlututu roman pointu

Alors que, il y a encore quinze ans, c'était la Bible, il est devenu un article d'une nouvelle foi, en 2010, que *Belle du seigneur* est un mauvais livre. À la télévision, en ma présence, un scénariste l'attaque. Pour qui se prennent les scénaristes, grands dieux, j'ai gardé la question pour moi et tenté de répondre à son objection. Si vous n'avez pas réussi à tirer une histoire du roman d'Albert Cohen, lui dis-je (il a au moins un talent, celui de rendre les autres responsables de ses incapacités, mais cela aussi je l'ai gardé pour moi), c'est que ce n'est pas un roman d'histoire. C'est un roman de personnages, Ariane et Solal, Solal l'un des plus beaux emmerdeurs de la littérature française, et ce n'est pas rien, d'avoir créé un des plus beaux personnages d'emmerdeurs de la littérature française. C'est de plus un roman satirique où est inséré un roman médiéval. Solal, craignant que ce qu'il appelle

« le social » ne tue son amour pour Ariane, l'enferme : roman médiéval. Cela se passe au milieu de la vie mondaine de Mme Deume, dinde à prétentions, et de son fils, grand fainéant qui taille des crayons à la Société des Nations. *Belle du seigneur*, c'est une tour pointue au milieu d'un trampoline de sots. Il est bien plus qu'une histoire, une image. Cohen nous y fait entrer savamment, finement, délicieusement. On ne lit pas un livre pour une histoire, on lit un livre pour danser avec son auteur.

Passivité supposée du lecteur

Il y a des moments où cela arrange le lecteur de se croire passif. C'est quand il n'aime pas. Seulement, ce n'est pas parce qu'on n'aime pas qu'on a raison. Le lecteur oublie souvent que, quand il reproche quelque chose à un auteur, c'est peut-être lui le responsable. Il peut avoir lu dans de mauvaises conditions. Être de mauvaise humeur. Ne pas réellement lire, mais chercher à conforter des préjugés. Il ne le pense jamais. C'est toujours l'auteur le coupable. Or, parfois, il faut le dire, il se peut qu'il arrive que le lecteur soit moins fin que l'auteur.

On croit volontiers que les lecteurs sont des gens bien, sont *tous* des gens bien. Il y a aussi des imbéciles qui lisent. Ce sont eux qui font le public des livres démontrant que les attentats du 11 septembre 2001 ont été perpétrés par les Américains. Des niais. C'est le public des livres conspuant la société festive. Des méchants. Des livres de Guy Debord. Des aigres. De Louis-Ferdinand Céline. Il y a aussi des tartes, et ce sont celles qui font le public des essais de pédantes agressives. Quittons les lecteurs détestables, ce n'est pas à partir des mauvaises gens qu'on fait de bons raisonnements.

La lectrice soumise

Magritte a la plupart du temps des titres expliquant ses tableaux, comme cette *Lectrice soumise* à l'air Maria Callas (gros nez, gros sourcils noirs) qui s'exclame en lisant un livre ouvert. Comment seraient pris les tableaux de Magritte sans leurs appellations ? Verrait-on l'ironie ? N'est-ce pas la preuve qu'elle est une faible chose ? Disons que, dans Magritte, le titre fait partie du tableau, si bien que parfois il est peint sur la toile même, comme le *Ceci n'est pas une pipe*. Ce que Magritte peindrait peut-être aujourd'hui, ce seraient des visiteurs de musées avec le même regard écarquillé et des écouteurs aux oreilles. Le titre (peint ou non sur la toile) : *Les Audioguides*. Les audioguides ! Les gens réclament de ne pas penser. Au moins la pédagogie ne peut-elle pas se produire *pendant* que nous lisons. La lecture peut être orientée [avant], interprétée [après], mais, pendant, c'est seul à seul. Dans un combat, parfois. Le lecteur contre le livre, pour dépasser ce qui l'irrite. Le lecteur contre lui-même, pour dépasser son incompréhension. Le duel finira-t-il en duo ?

Lire pour dépasser la moitié du livre

Je lis *L'Homme sans qualités*, de Musil. C'est un livre long. Deux tomes de mille pages. Il y a une part de combat dans l'ascension de ces montagnes. Ah ah ! Tu crois que tu vas me vaincre ? Et, patiemment, lentement, rageusement, on grimpe vers la moitié, en se disant que, après, la descente sera plus facile. On y éprouve une sorte de plaisir agacé. Quelle impolitesse de publier mille pages ! Quelle prétention ! Cela n'est excusable que par le génie, heureusement qu'il y en a ici. Allez, han !... Plus que soixante pages !... Cinquante-neuf !...

Lire pour les titres

Je me demande si je n'aurais pas trouvé une nouvelle raison de lire : se contredire soi-même. Quand je n'aime pas un auteur, j'y reviens. Allons, c'était de ta faute, vérifie si, en fait, il ne serait pas très bien ! Et je suis enchanté quand je découvre que je m'étais trompé. J'ai perdu un préjugé.

De Marguerite Duras j'aurais pu me contenter de l'agacement qu'elle me procure et de lire ses titres. Elle en a d'excellents. *Les Yeux bleus cheveux noirs*. On dirait une version moderne du si beau titre de Thomas Hardy, *Deux yeux bleus*, il marche mieux en anglais, *A Pair of Blue Eyes* (1873). *Des journées entières dans les arbres*. C'est dans ses titres qu'on voit le mieux la beckettienne en Duras. *La Pute de la côte normande*. Elle aime dire les choses crûment, étant une chasseuse de bienséance, comme tous les écrivains sérieux, ces impolis qui décrivent des choses que les pouvoirs établis, pour leur tranquillité, voudraient laisser tues. *Dix heures et demie du soir en été*. Pourrait être un titre de Sagan. (À cette comparaison les durassiens grincent du dentier.) Et c'est là qu'on voit qu'un titre seul n'a pas son sens complet. Au reste, un titre seul, en littérature, cela existe-t-il ? – Ceux dont les auteurs sont restés anonymes. – Précisément, nous n'arrêtons pas de chercher leurs auteurs. La France entière s'est demandé pendant des décennies qui avait écrit *Histoire d'O*, le roman érotique (1954). Quand on a appris que c'était Dominique Aury, une traductrice et employée d'édition, le livre est devenu moins intéressant. On avait laissé entendre que l'auteur était tel ou tel écrivain connu. Et « Jean Paulhan, *Histoire d'O* » rendait le roman plus intéressant, car on y cherchait, et on y trouvait, entre les lignes, cet auteur sérieux, directeur de revue, éditeur. Quand on cherche, on apporte ce qu'on veut trouver. L'entre les lignes est l'espace merveilleux où le lecteur à bout de raisonnements ramasse la lumière magique qui lui donne ce qu'il veut : être persuadé.

Un titre n'a son sens complet qu'accompagné du nom de l'auteur. *Dix heures et demie du soir en été*, ça peut non seulement vouloir dire un roman bourgeois qui se passe à Théoule, mais encore une comédie policière anglaise, ou un monologue intérieur relatant le suicide d'un mystique russe, enfin, un titre seul, ça ne veut rien dire. En revanche, « Marguerite Duras, *Dix heures et demie du soir en été* », voilà une indication. Les livres sont écrits par des personnes, et c'est une imposture de celles qui ont fait une saleté dans leur vie, ou qui souffrent d'un excès d'orgueil, peu importe, que de dire : « Ma biographie, c'est ma bibliographie. » L'esthétisme est le bouclier des salauds. Voilà aussi pourquoi, quand ça marche entre son livre et nous, d'un écrivain, on se fait un ami, oui, vraiment, un ami. L'auteur a des défauts. Comme un ami. On l'aime et il nous irrite. Comme un ami. Et moi, lecteur, je n'en ai pas, des défauts ? Je n'irriterais pas l'auteur, s'il me rencontrait ? C'est bien commode, un écrivain, pour porter la faute des autres. Je ne dis pas qu'ils soient irresponsables, quelle piteuse attitude morale. Et littéraire, et littéraire. Si on refuse toute responsabilité, notre littérature n'est que gazouillis.

Lire pour ne plus être
reine d'Angleterre

La reine Élisabeth II, se promenant autour de son château, s'arrête près d'une bibliothèque ambulante. Sans trop savoir quoi choisir, elle emprunte au commerçant ébloui une romancière dont elle a entendu parler dans sa jeunesse, Ivy Compton-Burnett (un auteur mondain des années 1930), mais qui l'ennuie. Peu à peu, elle passe à Proust, lisant sur ses genoux pendant les défilés officiels. On s'inquiète dans son entourage. Alzheimer ? Et puis ce n'est pas *politiquement correct* : la lecture *exclut*. Le conseiller du Premier ministre évince un ancien cuisinier de Westminster. La croisant à la bibliothèque ambulante, il avait si bien conseillé la reine qu'elle l'avait fait monter en grade auprès de ce conseiller ; il le force à s'inscrire dans une université lointaine où, bien plus tard, la reine le croise ; et ayant compris la manœuvre, elle fait chasser le conseiller. Dans une fête pour son 80ᵉ anniversaire, elle annonce à ses ministres qu'elle va écrire un livre. Un livre... Ah oui, des souvenirs d'enfance, la guerre... Non, non, répond la reine ; nous pourrions nous diriger vers la littérature. Madame, vous êtes dans une position qui ne vous le permet pas, et si votre oncle le duc de Windsor a pu écrire *A King's Story*, c'est parce qu'il avait abdiqué. Réponse de la reine et dernière phrase du livre : « Pourquoi croyez-vous que vous êtes ici ? »

La Reine des lectrices, d'Alan Bennett (*The Uncommon Reader*, 2007), a l'air d'une fable sur la lecture et ses dangers subversifs. C'est en réalité un livre sur la littérature. Quand le Premier ministre lui répond qu'elle est au-dessus de la littérature, la reine répond : « Qui est au-dessus de la littérature ? », chose que naturellement aucune reine n'a jamais pu dire.

Lire le pouvoir

La seule question à se poser devant un chef, c'est : ferait-il brûler la bibliothèque d'Alexandrie ? Si on ne pense pas à le faire, c'est qu'il est bonasse et rien à craindre. Si on y pense, c'est qu'il y a des soupçons sur sa vulgarité. Le calife Omar, gendre de Mahomet, reste dans les mémoires pour avoir eu la vulgarité du fanatique en ordonnant (642, prise de l'Égypte par les musulmans) la destruction de cette bibliothèque, la plus riche du monde antique, aux manuscrits définitivement perdus. Le cynisme des tyrans de bonne famille peut être aussi destructeur que la foi instrumentalisée par les ambitieux sans appui. Ces sortis de rien sont souvent très conservateurs, et c'est ainsi que les pires dictateurs ont pu encourager la lecture. En Union soviétique, les livres n'étaient pas chers, on enseignait la littérature tsariste dans les écoles, ne fût-ce que pour prouver que le socialisme réel avait triomphé du féodalisme, on conservait précieusement les manuscrits des grands anciens. Le bolchevisme, né du livre, a protégé les livres. Marx a sauvé Pouchkine. Écriveurs, aussi ! Je ne me rappelle pas sans mélancolie l'été 88, le dernier été joyeux de nous autres, l'élite du Parti, à relire, sur la terrasse de notre datcha au bord de la mer Noire, *Le Marxisme et les problèmes de linguistique*, de Joseph Staline (à mon sens meilleur que *Les Problèmes économiques du socialisme en URSS*). Je demanderais qu'on brûle mes livres plutôt qu'un homme.

Lire les trous

Un des premiers romans d'adulte que j'ai lus est le *Satiricon* de Pétrone (lecteur : deuxième moitié XXᵉ s. ap. J.-C., auteur : moitié du Iᵉʳ s. ap. J.-C.), et j'ai été bien content d'apprendre que le premier roman occidental était celui-là. Un roman allègre. Moqueur. Et incomplet. On m'a expliqué que les livres antiques ne nous sont connus que par des recopiages faits dans des monastères au Moyen Âge. Il est d'ailleurs à porter au crédit des moines et de leur naïf amour de l'esprit qu'ils aient recopié, des vies durant, des livres d'une religion contraire à la leur et contenant parfois des choses bien osées. Parce que c'était l'heure des vêpres et que, courant vers le réfectoire en relevant sa soutane, le frère qui s'occupait de Pétrone a fait s'envoler des feuilles qui sont allées se mêler aux emballages de bouteilles de liqueur ou se greffer aux ailes d'un papillon ?, en tout cas, le *Satiricon* nous est parvenu incomplet. La lecture de ses trous était fascinante. Moins que ce qui restait, mais parce que cela restait. Qu'y avait-il eu à la place de ce trou ? C'est le moment où le lecteur est encore plus Sherlock Holmes que d'habitude. On dit : c'est en traversant les temps que le *Satiricon* s'est troué. Bien. Mais si je décide que c'est parce que Pétrone était un génie ? Qu'il a organisé lui-même ses trous ? La condescendance du présent envers le passé est risible, parfois. Vous savez qu'ils étaient aussi très intelligents ? Et je me suis dit : écrivons un roman avec des trous. *Nos vies hâtives* n'a pas été celui qui s'est le mieux vendu. Le lecteur fait des trous en sautant des passages.

Lire pour se masturber

Dans un livre pieux que se transmettait ma famille, j'ai vu l'Enfer. Vaste, majestueux, grouillant. Le diable, au centre de la gravure, était assis sur un trône, très calme. Il n'en était que plus menaçant. Sous lui, sept grottes où les âmes étaient torturées, une pour chaque péché capital, symbolisé par une tortue, un miroir, etc. J'étais enfant, j'étais terrorisé ; j'y revenais sans cesse. L'Enfer est séduisant. C'est bien ce qu'on peut lui reprocher, car il n'existe pas. Il est ennuyeux que la peur doive être un supplétif à la raison dans notre jeune âge.

L'Enfer du sexe servait à la même chose pour l'âge adulte, à ceci près qu'il restait secret. Je ne savais évidemment pas que la Bibliothèque nationale dissimulait ses livres érotiques sous une cote spéciale. « Enfer. » Il n'y en avait d'ailleurs plus besoin. La pornographie était libérée. En classe de seconde, circulaient sous les tables les éditions de poche du marquis de Sade à couverture noire, évasées comme des artichauts cuits à force d'avoir été lues. Quelle passion pour la littérature ! La vraie fonction de cet écrivain me fut bientôt révélée, mais je trouvais qu'il écrivait de façon obscure. Je me trompais : il écrivait mal, dans le style moyen de l'époque, et, quant à sa fonction, elle était plus que masturbatoire. Le sexe devenait de la révolution, et ça allait bien à une époque pédante de profs hystérisés qui déclaraient que « tout est politique ». La gaieté du sexe était niée, que dis-je ? sa légèreté essentielle, qu'il n'engage à rien. Le combat contre l'hypocrisie a utilisé le moyen le plus hypocrite. Ce n'est pas pour le plaisir qu'on a voulu ouvrir les portes de l'Enfer.

Au moins elles l'ont été, et il n'est pas mauvais qu'on réinterprète régulièrement les écrivains du passé selon une utilité nouvelle qu'ils pourraient nous apporter. Ça les rafraîchit. Même si cela lui a aliéné sa clientèle bourgeoise, plus d'un écrivain institutionnel est sorti plus sympathique de la publication de sa correspondance libertine après sa mort. Cette clientèle trouve toujours un respectable pour en remplacer un autre, et il aurait été impitoyablement oublié. Si je décidais de publier une interprétation érotique des poèmes d'Emily Dickinson à partir de son vers *« I taste a liquor never brewed »*, je goûte une liqueur qui n'a jamais été distillée, je renouvellerais l'interprétation spiritualiste et ronronnante du poème. Je n'aurais peut-être pas raison, mais je ferais que l'on se réintéresse à Dickinson. C'est comme les mises en scène de théâtre qui font si souvent pester les vieilles personnes de tous âges qui s'intéressent à cet art ou ont le moyen d'acheter des places. Elles aèrent la salle de musée des Arts et Traditions populaires que devient toute pièce illustre après quelques décennies. Volent les robes en dentelle, fuient les coiffes à voilette, s'échappe l'odeur de renfermé ! Et quand bien même ça ne laisse qu'un mannequin de cire les fesses à l'air, on a fait autre chose que digérer une représentation. Les écrivains sont détournés comme des fleuves. C'est ce qui peut leur arriver de mieux. Pensant que la postérité, c'est le présent qui s'ennuie à entendre toujours répéter les mêmes choses et change de lectures, j'essaierai de surprendre la mienne en laissant quelques posthumes que j'espère inattendus. J'y décevrai mes lecteurs passés ; les futurs, heureux de contredire les précédents et de découvrir du nouveau, diront peut-être : « Il n'était pas ce que vous disiez. Nous seuls l'avons compris. » Ce sera injuste, mais si vous croyez que la postérité, c'est la justice, je vous engage à vous suicider tout de suite.

La littérature est hors du domaine de la morale. Vieille histoire tout ça, déjà entendu, fatigant. Sauf que ça bouge. Au second tour de l'élection présidentielle en France, en 2007, nous avons eu deux candidats des *valeurs*. Aux élections législatives de 2010, en Hongrie, aux Pays-Bas, en Flandre belge, les partis les plus réactionnaires ont gagné. Ils ont un programme clownesque, des campagnes clownesques, un comportement clownesque, ne cessant même pas d'être clownesques quand ils perdent. En Slovaquie, où les nationalistes n'ont pas réalisé leur triomphe, leur chef dépité a déclaré : « Les homosexuels et les Hongrois vont gouverner l'État. » Les clowns font peur, non ? En Amérique, le parti républicain a créé une clownesse destinée à ramasser les voix de la lie du peuple, comme disait Saint-Simon (lie petite-bourgeoise, en l'espèce), grâce à des déclarations racistes, bigotes et énergiques. Comme la créature de Frankenstein, Sarah Palin réussira peut-être à échapper à ses créateurs pour se présenter à la présidence des États-Unis, et on rira moins. Nous autres civilisations savons que les clowns nous rendent mortelles. Il faut les abattre tout de suite.

> Mais, quand elle eut grandi, fut devenue facile à renverser et marchait droit vers une révolution totale de l'État, ils s'aperçurent trop tard que nulle entreprise à son début ne doit être tenue pour insignifiante, car il n'en est aucune que la continuité ne puisse rendre vite considérable, lorsque le mépris qu'on a pour elle empêche d'en arrêter les progrès.
>
> Plutarque, *Vie de César*

Un vent des années 30 souffle sur le monde. Il ne sent pas bon. Les champions des « valeurs » sauraient-ils distinguer, dans un livre, la fonction masturbatoire et la fonction littéraire ? Avec ça, méfions-nous des similitudes, qui résident souvent dans notre envie de les voir, et des assimilations du présent avec le passé derrière lesquelles le véritable danger, qui n'est jamais tout à fait ressemblant, avance sans prendre les coups utiles. Je ne sais lesquels ils sont, mais, dans notre monde à la fois enragé d'interdire et mélangeant le rétrograde et la porcherie, je sens venir, comme l'abbé Blanès de *La Chartreuse de Parme*, d'étranges orages.

L'hypocrisie sociale en matière de sexualité est telle qu'il y a encore des gens pour acheter à des fins d'excitation des livres qui ne sont pas faits pour cela. *La Vie sexuelle de Catherine M.*, où Catherine Millet tentait de faire de la littérature à partir de ses expériences d'échangisme, ne s'est sans doute vendu à des centaines de milliers d'exemplaires que parce que, publié par une maison honorable, il pouvait être acheté par des maniaques sans avoir à glisser à l'intérieur d'un sex-shop avec un regard en arrière. Ils ont dû être bien déçus sous le rapport de l'érection.

Le problème de certains auteurs de fiction qui se mettent à parler de sexe est qu'ils laissent leur obsession gouverner leur livre. Tel aime les très jeunes filles, bon, mais cela l'envahit sans qu'il le maîtrise, et l'un des objets d'un livre de littérature, donner une forme aux émotions, et non s'en laisser imposer une, est oublié au profit d'une fonction d'excitation sournoise. Le lecteur le sait et méprise ce livre qui a (et pour lui aussi, peut-être) une fonction utilitaire.

Un ami écrivain se demande pourquoi il n'a pas réussi à écrire un livre de littérature qui aurait compris des passages de pornographie. C'est sans doute que la pornographie est un type d'écrit à intention, alors que la littérature est un type d'écrit sans intention. Et c'est la même raison qui empêche de fusionner les deux et de faire de la littérature avec la pornographie. La pornographie a une fonction, la littérature est un état.

La multiplicité des vocabulaires est un symptôme de ce mélange impossible. Par quel mystère le sexe est-il la seule activité humaine, et même la seule partie du corps humain, à disposer de plusieurs lexiques ? Il n'y a qu'un mot pour « cou » ou « oreille », quand divers registres surgissent dans notre esprit dès que l'on parle de sexe. Selon que l'on dit « vagin », « chatte » ou « moule », on est dans le médical, le licencieux ou le graveleux. On dirait qu'il est impossible d'en parler simplement. Je me demande si ce n'est pas à cause de la pudeur.

Quel est l'homme qui a eu l'idée de donner ce nom d'Enfer à la section des livres érotiques de la Bibliothèque nationale ? Un ironique ou un convaincu ? Un bossu aux joues flasques qui rentrait tous les soirs se masturber honteusement devant des livres empruntés, ou un jeune farceur aux yeux gais qui l'a suggéré dans une réunion pour se moquer d'un conservateur prude ? Voilà un sujet de fiction. Le lexique des nations est le roman du monde.

Le seul portrait d'Emily Dickinson adulte que l'on connaisse. Elle a de la chance. On l'imprime et le réimprime à l'infini depuis cent cinquante ans. Ça ancre son image dans la tête du public assailli. Une partie de la gloire de Rimbaud vient de sa photo jeune et dépeigné, l'œil bleu-blanc durement fixé vers un avenir qui a intérêt à être proche, prêt à casser les institutions, lesquelles récupéreraient son effigie pour mieux étouffer sa pensée.

Lire pour se contredire

Et donc, Duras, avec une bonne volonté qui m'horrifie, je l'ai reprise, plusieurs fois. Ses chefs-d'œuvre, *Le Ravissement de Lol V. Stein*, *La Maladie de la mort*, je n'ai pas pu. Trop chefs-d'œuvre. Trop chefs-d'œuvre *voulus*. Et *montrés*. C'est un genre, le chef-d'œuvre ostensible, qui peut impressionner. L'auteur lui-même, pour commencer. Ils ne sont plus des livres, mais des miroirs. Roman, roman, dis-moi que je suis la plus géniale ! Et le lecteur, se sentant importun dans ce concours d'admiration entre l'auteur et son livre, va en lire un autre.

De Duras j'aime bien certains romans, et plus encore ses livres bâclés, articles de journaux, souvenirs, interviews, blabla, que son avarice a recueillis sans que sa vanité juge bon de leur donner une forme. Tant mieux, elle aurait ajouté des crampes.

Et c'est ainsi que, content de me contredire (mais pas ravi non plus, il n'y a pas de quoi s'admirer de faire ce qu'il y a à faire), je garde dans ma bibliothèque, entre autres, *La Vie matérielle*, *La Douleur*, *L'Été 80*, tenez, *L'Été 80*.

C'est un recueil d'articles écrits pour *Libération* qui lui demandait de commenter les événements du monde. Elle y introduit de la vie sensible en décrivant un petit garçon triste en vacances à Trouville avec une colonie. Je parierais qu'elle l'invente, ce petit garçon. Il apparaît dans le premier article puis son rôle se développe. Il acquiert un prénom, une histoire. Quelle bonne idée. Une fiction en contrepoint, qui fait saillir le reste. Fiction aussi, revendiquée, le passage où elle imagine les questions qu'un intervieweur poserait à un gréviste anticommuniste de Gdansk. Très habile, le chapitre où, comme Proust annonçant, à la fin de son roman, qu'il va écrire *La Recherche* déjà écrite, puisque nous venons de la lire, elle dit qu'elle n'a rien à dire et que les gens de *Libération* lui conseillent de raconter ça, qu'elle n'a rien à dire (style Duras), et, à la dernière ligne, l'article étant donc écrit : « Je commence à écrire le texte pour *Libération*. » Plus de beaux passages emphatiques, sans doute son meilleur théâtre, d'ancienne petite fille des écoles françaises éduquée à la tragédie classique :

Les marées de septembre sont là. La mer est blanche, folle, folle de folie, de chaos, elle se débat dans une nuit

69

continue. Elle monte à l'assaut des môles, des falaises d'argile, elle arrache, éventre les blockhaus, les sables, folle, vous voyez, folle.

Belles expressions : « L'été est là, indubitable. » Pour ceux qui ont un préjugé contre les adjectifs. Il est très bien, cet indubitable. Il évite de dire que le soleil brille, qu'il fait très chaud, qu'on en est accablé. Quant au milliardaire quasi employé comme adjectif, je me demande s'il ne serait pas déjà dans Laforgue, ce qui ne serait qu'une qualité supplémentaire : « [...] la pluie a cessé, le ciel s'est ouvert et le soleil est apparu. Il est là, milliardaire, dans le ciel nu. »

Ce que cette habile utilisatrice des mots dit des noms et des dénominations est toujours intéressant. Par exemple dans le scénario d'*Hiroshima mon amour*, le film de Resnais, probablement destiné à montrer cette horreur essentielle de la guerre : elle prive les personnes de leur nom pour les faire entrer dans des groupes, devenir leur pays. En temps de guerre, on n'est plus Marguerite, mais la France. On n'est plus Kurt, mais l'Allemagne. Et Marguerite n'a pas le droit de devenir amoureuse de Kurt. C'est d'ailleurs vrai dans tout moment de crise ou avec toute organisation dogmatique : les clergés (où l'on change de nom), les sectes politiques (où l'on interdit aux militants de se marier), je ne sais quoi d'autre. Il y a une philosophe du langage dans cette femme qui avait l'air de travailler l'aphasie et le psittacisme ; l'emphase aussi, hélas, et elle a inventé une forme d'emphase aphasique. Elle a montré que la sobriété pouvait être diffuse et le laconisme, bavard. Cela, je le savais, car c'est ce qu'elle laisse voir de prime abord, si ostensible qu'elle fait même ostentation de ses défauts ; ce que je ne savais pas c'est que, à son meilleur, elle peut être comme une vague qui a l'air de rouler les mêmes cailloux et, en réalité, en ramène un de très loin. Et c'est une chose très intelligente que, alors, nous découvrons.

Ce que je trouve de qualités à Duras me fait décider d'oublier l'abus du verbe « pleurer » et du mot « larmes » dans bien de ses fictions. Il étonne de la part d'une femme aussi sèche, jusqu'à ce qu'on se dise : c'était l'expression de la sentimentalité dictée par son cerveau, autrement dit une hystérie, et la projection d'une dure qui croit que nous ne croirons pas qu'elle a été émue si elle n'emploie pas les mots clichés du chagrin. Me fait aussi décider de trouver une caractéristique aussi incritiquable que la couleur de ses yeux sa manie du verbe « savoir ». Première page du *Ravissement de Lol V. Stein* : « C'est ce que je sais. » Dans *L'Été 80* : « Et de cela, moi, je suis sûre, et cela, moi je le sais. » Dans *Écrire* : « Chaque jour de ma vie je le sais. » Dans *La Maladie de la mort* (qu'on pourrait sous-titrer « genre : énigmatique », comme on fait pour les dialogues de Platon, *Alcibiade*,

« genre : maïeutique ») : « Vous finiriez par la nommer comme vous avez le savoir de le faire. » Pas « comme vous savez », « vous avez le savoir de ». Ça n'est pas rien, de savoir, chez Duras. Ou de croire savoir. On dirait une enfant de 10 ans qui n'arrête pas de dire « je sais », précisément parce qu'elle ne sait pas. Et si on ne lui dit pas : « Marguerite, tu vas aller au coin ! » c'est qu'on *sait* que cela lui tient lieu de protection, n'est-ce pas. Plus loin dans *Écrire* : « La solitude est toujours accompagnée de folie. Je le sais. » C'est un « je le sais » qui veut dire : je ne le sais qu'abstraitement, mais, de peur de le découvrir réellement, je le conjure en prévenant les mauvais dieux. Vous ne me faites pas peur (j'ai peur), je sais le mal que vous pouvez faire (et, avec une forme de courage, on a affronté une pensée désagréable). Il n'est donc pas contradictoire de sa part d'écrire : « Je fuis ceux des gens qui au sortir d'apprendre ces choses ou de les voir savent déjà penser, et quoi, et quoi dire, et comment conclure » (*L'Été 80*). Ce qui ne l'empêchait pas d'affirmer très fermement les choses. Duras avait l'incertitude péremptoire. Il apparaît, à la suite de certains de ces coups de cloche, une vibration, une nuance dont elle ne s'est peut-être pas bien rendu compte. Le « chaque jour de ma vie je le sais » d'*Écrire* veut sans doute dire : « Hélas, je le sais. » L'âge intransigeant de la jeunesse est passé. On a conscience qu'on va mourir et que, avançant dans la vie, on fait *au mieux*, pas *le mieux*. Hélas, on devient indulgent. Les Saint-Just que nous étions sont devenus des présidents de commissions parlementaires gras et arrangeurs. On aurait dû nous décapiter à 30 ans. La jeunesse et la vieillesse (il n'y a rien entre les deux) sont deux états différents du savoir. On n'est pas plus ignorant jeune, on sait autre chose et qui est aussi exact que l'indulgence qu'entraînent les arrangements pour continuer à vivre sans être broyé par les pouvoirs ; on sait que c'est le moment où jamais d'être intransigeant, tranchant, de couper dans la masse grouillante de vers de terre pour tenter de les transformer, comme dans un conte de fées, en un bouquet de becs-de-perroquet. La vie est un conte de faits. La vie est de la prose, pas de la poésie.

Lire pour la forme

Quelle expression mal faite est, en français, « pour la forme ». Je me demande si les Italiens, qui ont assez le goût de l'art, ou les Japonais, de la cérémonie, en auraient inventé une aussi désinvolte envers une chose aussi essentielle. « Pour la forme » ne devrait pas vouloir dire « en vitesse et pour satisfaire le protocole avant de passer aux choses sérieuses ». La forme est le sérieux de l'art. Elle en est même le sujet. Les idées, vous pensez, tout le monde les a. Une définition de la littérature pourrait être : « Tentative de formulation de l'informe. » Tout livre, même de fiction, est un essai, dans la mesure où il cherche à avoir une forme. Dans l'informe de la vie, il prend, rejette et classe, et c'est cette formalisation qui apporte du sens. Le lecteur, face au flasque, lit pour deviner les formes multiples du monde.

Le moment où on lit

Le moment où on a lu un livre qu'on n'a pas aimé n'était peut-être pas le bon. L'opinion qu'on a d'un écrivain dépend non seulement du moment, mais aussi de l'âge où nous avons fait sa connaissance. Le sien, le nôtre. Par exemple, quand j'avais 21 ans, c'était la période de plus grande gloire de Marguerite Duras, et pas celle de sa plus grande finesse. Elle en avait 70, des opinions sur tout, pérorait, avait l'air de la grenouille qui veut se faire aussi grosse que le bœuf. Au demeurant, bœuf elle était assez devenue, car elle venait de recevoir le prix Goncourt, et avait vendu un million d'exemplaires de *L'Amant*. Elle était passée à l'Âge des Interviews. Elle en donnait à *Libération*, elle en donnait à *L'Autre Journal*, elle en donnait ici et elle en donnait là. Alors que, dans ses livres, elle employait un style distingué à démarche de crabe, un pas de côté, un tâtonnement, deux pas en arrière, elle utilisait franchement le superlatif dans les journaux. En tactique esthétique, elle avait peut-être raison. Tant de monde parle dans un journal que, pour couvrir la cacophonie, il faut élever la voix. Quand Duras écrivait dans *Libération* sur Michel Platini, c'était un *ange* (condescendance inconsciente d'intellectuelle envers les goûts du populo ?). La mère d'un enfant assassiné qu'elle jugeait coupable était *sublime, forcément sublime* (bien des années plus tard, il m'a semblé qu'elle l'avait dit par une espèce de délire esthétique qui lui avait fait *vouloir* cette mère coupable, car, coupable, elle devenait Médée). Dans un article, elle racontait comment, le soir de l'élection de François Mitterrand à la présidence de la République, elle s'était rendue à la Maison de l'Amérique latine où elle avait rencontré « des ministrables », c'est du Molière, et un jeune homme qui s'était masturbé contre elle, c'est du Duras. Lassée du génie, elle venait de créer un genre. L'écrivain institutionnel et péroreur ne va pas avec le lecteur de l'âge absolutiste de 21 ans. Je crois que, si j'en avais eu 40, je l'aurais mieux supportée. Elle m'aurait amusé, j'aurais mieux fait la part de la vanité et du talent. Comme l'a dit l'écrivain américain Thoreau : « Tous les livres ne sont pas aussi bornés que leurs lecteurs » (*Walden*).

On peut donc lire contre soi-même ! Quelle grande chose que la contradiction ! L'apporter, la demander. Ce sont des chocs que naissent les étincelles.

Contestez-vous. Contestez ce que vous lisez en ce moment.

Le lieu où on lit

Je lis, sur la première page griffonnée de notes d'*Extinction* : «Novembre 1990, Le Caire.» Je me rappelle ce voyage en Égypte, la planche que je faisais dans la piscine de l'hôtel de Gizeh en regardant, les yeux révulsés, derrière moi, les pyramides, mais je n'ai aucun souvenir de la lecture de ce Thomas Bernhard. Je me souviens de son contenu (du moins de l'esprit qui y soufflait et d'une certaine phrase), mais pas des circonstances de ma lecture. D'une qui a été encore plus importante pour moi, celle d'*À la recherche du temps perdu*, je me rappelle qu'elle a eu lieu lors de ma première année de droit, à Toulouse. Je revois mon lit, où j'ai passé tellement de temps en compagnie des volumes de la Pléiade. Ou le canapé... ? Ou le bureau... ? Ou... ? Tout ce que je sais de sûr, parce que je les y ai retrouvés, puis ôtés, c'est que je glissais entre les pages des morceaux de journal déchiré en guise de signets, prenant des notes sur des feuilles perdues depuis, et ce que j'ai perdu aussi c'est la révérence envers ces Pléiades que je traite désormais aussi affectueusement que les autres en les gribouillant (si c'est au crayon à papier). En rouvrant une récemment, j'ai trouvé un épi de papier, témoignage de ma passion recueillie pour ce roman, entre deux pages. Quelque application que j'aie mise à y dénicher ce qui m'avait jadis touché, elles sont restées muettes. J'ai éprouvé cette grande loi de la lecture, que le livre ne se donne pas si on le parcourt. Il faut s'abandonner totalement à lui, esprit comme corps, esprit plongeant dans les pages comme la tête.

Seul est chaque lecteur quand il lit, mais sachant que d'autres existent et les frôlant avec tact, chacun dans son recueillement et déférent envers le recueillement de l'autre (par une sorte d'indifférence sourcilleuse, en réalité : il ne s'agirait pas qu'on vienne le distraire !), pareils à des moines vivant ensemble sans jamais se déranger, assemblée idéale à l'intérieur de la société, elle-même trop pressée pour prendre le temps de s'en gêner et les tolérant, on sait le dédain qu'il peut y avoir dans la tolérance. Les grands lecteurs sont des monstres. Inoffensifs d'ailleurs, quoique jusqu'à un certain point, celui où ils revendiqueraient du prestige et cesseraient de faire les modestes. Qu'ils n'oublient pas qu'ils sont minoritaires. Un livre qui a du succès en France, c'est, mettons, 100 000 exemplaires. Il reste 63 900 000 Français qui ne lisent pas.

Il y a eu l'âge de pierre, l'âge de fer et l'âge littéraire. C'est celui, très récent dans l'histoire de l'humanité et très peu répandu sur la terre, où cette discrète confrérie a pu s'établir sans être trop pourchassée. Dans la première émission de téléréalité du monde, le « Loft », où l'on pouvait tout voir, du manger au baiser, un seul acte était interdit, la lecture. Des producteurs sachant très bien ce que c'est qu'un public n'avaient pas voulu choquer le leur en filmant cette révoltante pratique.

La lecture nous extrait. Je crois qu'il serait contradictoire avec sa nature qu'elle nous laisse nous souvenir avec précision du moment et du lieu où nous l'avons faite. La lecture est cet instant d'éternité simultanément ressenti par quelques solitaires dans l'espace immatériel un peu bizarre qu'on pourrait appeler l'esprit.

Lire pour l'obscurité

Tout s'est libéré. J'ai lu. J'ai lu, et il m'a semblé voir la lumière. Cela n'a duré qu'un instant. C'étaient surtout *les lumières* que j'avais vues, ou aperçues, dans le sens XVIIIe siècle du terme. Pourquoi lire ? Pour devenir moins borné, perdre des préjugés, comprendre. Pourquoi lire ? Pour comprendre ceux qui sont bornés, ont des préjugés et aiment ne pas comprendre. L'obscurité est utile à connaître. Elle fait partie de la littérature, volontairement ou pas. On peut dire que c'est une de ses singularités et une de ses qualités. Les écrivains sont sans doute les seuls littérateurs qui ne postulent pas la pureté, la perfection, la rectitude, et font même de cette absence un élément important de ce qu'ils sont, sans que ce soit, à l'exception de Rousseau, un élément d'orgueil. On lit pour voir chez les autres les défauts que nous nous cachons à nous-mêmes.

Lire pour apprendre

On peut lire pour apprendre. C'est un motif très contestable, du moins quand il s'agit de fiction. Demande-t-on à une nature morte de Pieter Claesz de nous enseigner la culture de la tulipe en Hollande au XVIIe siècle ? On nous dit : on n'apprend jamais aussi bien l'histoire que dans les romans d'Alexandre Dumas. Oui, si on veut. C'est une chose qu'on dit. Elle est fausse. Ce qu'on apprend dans Alexandre Dumas, c'est Alexandre Dumas. Sa vision de Louis XIII et de Richelieu n'est sûrement pas fausse, mais c'est une vision. Conditionnée par son tempérament à lui, Dumas. C'est un généreux. La chafouinerie n'est pas dans son tempérament. Il n'aime pas Louis XIII, roi assez chafouin, et force sans doute sa chafouinerie comme personnage. Comme Giono, dans *Le Désastre de Pavie*, a forcé la mesquinerie de Charles Quint. Comme Chesterton, dans son *Dickens*, force la jovialité

82

de celui-ci. Et c'est très bien. Dans les livres partiaux, on devine mieux les hommes que dans les livres neutres, à jamais opaques. Dans les livres partiaux, on sait que la poursuite, comme on dit des éclairages dans un récital, est trop forte et se concentre sur une seule partie du personnage ; au moins elle nous montre cela, et se montre elle-même par son exagération, de sorte que nous savons qu'il y a cette exagération à tempérer. Dans les livres partiaux, on voit les auteurs, ces éclairagistes que leur façon d'éclairer éclaire, mais aussi *un* Dickens, *un* Charles Quint, *un* Louis XIII — voit-on jamais une personne telle qu'elle est ? Est-ce que ça existe, une personne telle quelle ? Telle quelle comment ? Seule ? Une personne seule existe-t-elle ? N'est-elle pas en société et agie par les autres ? Vouloir apprendre dans un livre qui n'enseigne pas, cela revient, comme dit Kant à propos d'autre chose, à payer quelqu'un pour penser à notre place.

Adolescent, comme je lisais beaucoup d'écrivains du passé, j'avais une vision légèrement datée des dangers de la vie. J'ai longtemps eu une grande méfiance des pique-assiette, d'après l'obsession d'un auteur XIXe, et n'ai rien trouvé de plus socialement idéal que de ne pas payer son tailleur, comme les personnages d'Oscar Wilde. Plus tard, dans un roman contemporain, j'ai appris qu'il n'était pas bon de se raser de bas en haut ; ça fait repousser le poil plus dur. Ah, je ne dirai plus que lire ne prépare pas à la vie !

Je suis tellement partial envers la littérature que j'éprouve une répulsion spontanée pour les livres destinés à m'apprendre quelque chose. Ils me semblent contaminer la littérature comme les salons de tableaux de retraités de la SNCF me semblent contaminer la peinture. J'aime mieux apprendre des gens que des livres.

C'est en partie pour l'apprendre qu'on admire Flaubert. Lui apprenant. Cinq ans pour écrire *Madame Bovary* ! Le gueuloir ! Les ratures ! Vingt fois sur le métier ! Eh quoi ? *La Chartreuse de Parme* est-elle moins bonne parce qu'elle a été dictée en 42 jours, même si Stendhal s'est vanté ? Dans tout cela, je trouve une peur professorale (« Élève turbulent. Doit s'appliquer ») et plus encore un mépris de l'art qui n'est pas éloigné des vulgarités que les écrivains entendent à longueur de vie : « Ah, si j'avais le temps, quel roman j'écrirais ! » À cause des lettres où il a laissé la trace de ses peines, cet antidémocrate de Flaubert est devenu le propagandiste involontaire de la démocratisation créatrice. D'une façon ou d'une autre, on nous fait payer nos succès. Flaubert s'en fout. Un chef-d'œuvre est indifférent à ses commentaires (comme celui-ci). Au fond de sa tombe, il est protégé par ses créations, Emma Bovary et Frédéric Moreau frère et sœur d'Hamlet, d'Ivan Ilitch et de tous les personnages profondément compris par leurs inventeurs, qui ont décelé en eux, si faibles, si bêtes, si monstrueux soient-ils, la lumière intérieure commune à tous les hommes, ce qui fait dire à des millions de lecteurs, femmes, hommes, normands, étrangers, du XIXe et de tout temps : « Madame Bovary, c'est moi. »

Lire pour se consoler

On peut lire pour se consoler. Cela me paraît une raison encore plus mauvaise. On n'y parvient d'ailleurs pas. Et, si on n'y parvient pas, c'est que la littérature n'est pas faite pour ça. La littérature n'est pas consolante. Cela reviendrait à dire qu'elle est distrayante. De plus, il serait insultant pour nos douleurs qu'elles puissent être effacées par un simple moment de lecture. Montesquieu est un très grand écrivain, mais il a écrit une des phrases les plus révoltantes qui soient quand il a dit : « Je n'ai jamais eu de chagrin qu'une heure de lecture n'ait dissipé. » Que voulez-vous, c'était un grand esprit froid.

Il y a un pendant à cette phrase, c'est celle d'un personnage d'Oscar Wilde dans *Le Déclin du mensonge*, « une des plus grandes tragédies de ma vie est la mort de Lucien de Rubempré ». C'était sans doute une phrase à lui, Wilde, précédemment lancée dans une conversation par jonglerie, et de laquelle il aurait bien sûr dit, sans mentir, qu'il y tenait plus que tout. Wilde était un homme à phrases auxquelles il ne croyait pas dur comme fer. Celle-ci est évidemment de l'esthétisme. L'esthétisme est une autre forme de froideur ; une froideur hystérisée. Quelques années après avoir écrit cela, Wilde a connu une tragédie bien plus douloureuse que la mort d'un personnage de fiction.

La lecture ne console pas. D'une certaine façon, elle désespère. Le désespoir n'est pas triste. Pascal nous le montre, le grand Pascal des *Pensées* qui écrit comme un aigle grimpant dans le ciel, avec ses ailes faisant un bruit de couteaux, Pascal qui se forçait à croire à l'Espérance des chrétiens, celle dans le royaume des cieux : « Nous ne vivons jamais, mais nous espérons de vivre, et nous disposant toujours à être heureux il est inévitable que nous ne le soyons jamais. » C'est simple, conclut-il : « On mourra seul. » Et, non, ce n'est pas triste. Le désespoir est un fait, comme la pluie ou le soleil. C'est plutôt l'espoir qui serait triste, avec les illusions dont il nous entoure le cou comme une écharpe, pour mieux nous étrangler ensuite. En compagnie de Pascal et de quelques autres écrivains, les lecteurs deviennent des adultes qui ne se cachent pas les choses et n'en souffrent pas.

Lire pour la santé ah ah

« Une lecture amusante est aussi utile à la santé que l'exercice du corps », dit Kant, qui ne s'est jamais vu autant cité par moi, il en est bouleversé, on va le voir dévier d'un mètre sa marche quotidienne dans son jardin de Kaliningrad. « Ah ah ! Dantzig me cite. Espère-t-il une traduction en Allemagne ? Une chaire au Collège de France où il serait élu par acclamations ? Ah ! la vanité des Français n'égale pas leur naïveté ! » Quand bien même la lecture donnerait-elle la santé, cela ne serait pas une raison suffisante. Il y en a assez, de choses qui donnent la santé. La santé ne justifie pas plus l'acte de lire que l'acte d'écrire n'est justifié quand on l'effectue comme une thérapie. Le lecteur est bienveillant de lire ces ouvrages où, sans plus d'intérêt pour les autres, l'auteur essore ses soucis. Ces torchons d'égocentrisme doivent être rejetés hors des bibliothèques.

Lire pour la vertu oh oh

Lire, ce n'est pas *bien*. Grande erreur de dire que ça l'est aux enfants et même aux adultes. Ils sont aussitôt convaincus de ne pas le faire. L'idée d'accomplir un acte ostensiblement vertueux répugne à l'être de qualité.

Lire pour la jouissance

Une lecture réussie, c'est aussi rare, aussi bon et laissant un souvenir aussi charmé qu'un acte sexuel bien accompli. Le lecteur couche avec sa lecture.

Le lire prend sa part de cela aussi à l'écrire, qui s'apparente à la sexualité, ne serait-ce que par l'impudeur. À mes débuts, si jamais on fait autre chose que débuter, j'avais grand'honte de sortir dans la rue quand je publiais un livre. Comment, mes douleurs et mes joies sont dehors comme des organes sexuels, et personne ne dit rien ? Les gens sont si inattentifs, si pressés ou si fermés sur eux-mêmes qu'on a pu se mettre à nu, ils ne le voient pas. Ou bien ils sont polis et font semblant de ne pas le voir. Ou bien on ne lit pas nos livres. Dans tous les cas, le boulevard Saint-Germain est parcouru jour après jour par des exhibitionnistes qui ne sont jamais arrêtés, les écrivains. Les lecteurs sont leurs complices. Andersen est nu avant le roi.

Lire pour s'isoler

Lire est un acte grave qui isole. Je dirais même qu'on lit pour s'isoler. Scandaleux ! J'ai toujours été frappé de ce que les lecteurs, les vrais lecteurs, sont détestés. Dès l'enfance, où j'ai été attaqué pour ce que j'étais, on me haïssait pour ma singularité, cette lecture, qui n'était autre qu'une passion de comprendre, de m'enthousiasmer. Ceux qui étaient mes amis avaient bien du courage. Ils avaient l'air paradoxaux. Cela n'a pas cessé. Au service militaire, lequel n'était fait, dans la secrète alliance entre la société et les brutes, la soi-disant civilisation et les glorieux barbares, que pour écraser toute vie indépendante de l'esprit, ça n'était que ricanements sur les livres que je lisais en marchant. Lisant en marchant, je descends souvent la rue de Rennes, à Paris. On y trouve, depuis plusieurs années, au même endroit, des sondeurs. Je peux être sûr que, systématiquement, il y en aura un pour m'interrompre et me demander si je veux répondre à des questions, *alors que j'ai toutes les apparences du recueillement*. Je tiens cela pour un acte hostile et malveillant. Ces gens sont l'avant-garde de la pensée en groupe, et les dieux savent si les sondages sont de la pensée en groupe, qui ne supporte pas de voir des hommes jouir ostensiblement de la solitude. La lecture est un scandale pour les esprits pratiques. Perpétuons-le. Que tous les lecteurs fassent comme moi ! Marchons dans les rues penchés sur des livres ! Les cadres supérieurs se rendant à leurs institutions financières ralentiront dans leurs belles voitures. Ils en sortiront, émerveillés. Jetteront en l'air leur serviette en veau grainé ! Feront voler les comptes d'exploitation et les cours de la Bourse ! S'arracheront les cravates, s'ôteront les vestons ! Alors, les villes seront peuplées de gens vraiment sérieux qui, vêtus de pagnes et s'accompagnant à la flûte, chanteront des vers d'Homère !

Penchés sur des livres, le nez dans des pages. L'orgueil individuel baisse le front devant la pensée ; la solitude cherche une sœur. D'où la beauté recueillie des tableaux représentant des lecteurs.

Une femme lisant, par Picasso, 1920.

Je la trouve concentrée sur quelque chose d'autre que son plaisir, et donc, peut-être, heureuse. Elle est en quelque sorte l'opposé exact de cette célèbre image de 1992 :

[1]

> **SHARON STONE**
> ÉCARTANT LES CUISSES
> **SANS CULOTTE**
> DANS *BASIC INSTINCT*

---

1. Je remercie Studio Canal d'avoir interdit de reproduire cette photographie au motif qu'elle « illustre des propos quelque peu engagés », ce qui est vrai, pour la laisser circuler sur Internet, où elle n'illustre que le désir de voyeurisme d'une humanité haletante ; les livres, ouf, sont encore gênants. Et puis cela me permet de tenter ce qu'on pourrait appeler une « image lue ». Est-ce que cela ne serait pas une photo remplacée par des mots et qui, par sa simple description au moyen de ces signes, lesquels sont un éloignement, un « recul », contiendrait en même temps sa critique ? Je sens que je vais me faire artiste

Un homme lisant, par Roger de La Fresnaye (v. 1910).

J'imagine qu'il n'éprouve même plus la douceur du papier sous la main, occupé qu'il est par la lecture. Il est le contraire exact du goinfre de Jordaens (v. 1635) :

---

conceptuel. Trois salles blanches. Sur le mur du fond, au pochoir, en minuscules : mon nom, *Images lues* et les dates de l'accrochage. Dans les cadres, de grandeurs différentes pour le mystère, et les prix : « SHARON STONE ÉCARTANT LES CUISSES SANS CULOTTE DANS *BASIC INSTINCT*. » « NICOLAS SARKOZY LORS DE SON PREMIER DÉPLACEMENT À L'ÉTRANGER EN TANT QUE PRÉSIDENT DE LA RÉPUBLIQUE COURT DANS LES RUES DE NEW YORK PORTANT UN T-SHIRT DE LA POLICE DE NEW YORK. » « FLAVIO BRIATORE ET BLONDE SUR UN YACHT. » « LE JOUEUR DE FOOTBALL NICOLAS ANELKA ÉRUCTE DES INJURES. » À moi, galeristes. Vous aurez décidé s'il est intéressant de

Lire des notes en bas de page.

Un enfant lisant, par Vincenzo Foppa (v. 1464).

Je me demande s'il ne poserait pas un peu, cet enfant ravi de lire et de l'idée de lire, cela m'est arrivé, au même âge, pour impressionner des adultes, ils l'ont été ou ont fait semblant, j'en ai encore honte, mais ce n'est rien par rapport aux poseurs professionnels. Il est le contraire exact de cet enfant prostitué :

95

Nous n'avons pas besoin des saints et de leur arrogante humilité à l'intérieur de cadres d'or, nous n'avons pas besoin des militaires tendant un torse en marbre sur les places publiques, nous n'avons pas besoin des humanitaires brandissant leur serviabilité d'un jour devant les caméras, nous n'avons pas besoin de tous ces gens debout qui nous narguent de leur moralité. L'effronterie du lecteur est ailleurs ; dans ce recueillement au milieu de l'action, dans l'esprit détaché du pratique, dans ce front baissé vers des lignes où il lit des choses qui le renforcent contre les puissances. Oui, voilà aussi pourquoi on lit. On étaie son pauvre petit être au milieu de la force en marche. On se donne les moyens de sa faiblesse.

Lire pour savoir que lire
n'améliore pas

La figure paisible, concentrée, *lointaine* du lecteur le fait paraître dans un autre pays. Il y est. Par rapport à l'épilepsie des jeux vidéo, vers quoi on est penché aussi, la concentration est, disons, moins sautillante. Il peut y avoir recueillement dans la violence. De grands crimes ont été conçus dans la tranquillité. Souvenir de Monopoly. À 14 ou 15 ans, après une session d'une rare violence quoique sans cris, j'ai décidé de ne plus jamais y jouer. Il me semble naïf de croire que les jeux de guerre engendrent plus de violence que la cueillette des roses. Tout jeu est susceptible de violence. Le mot *jeu* cache, par la notion d'enfance qui y est attachée et l'idéalisation rétrospective qu'on en fait (sans doute par nostalgie de la seule période de la vie où l'on a le droit coutumier et légal d'être irresponsable), que la violence est dans l'homme, pas dans le jeu ni la lecture. Ce que je dis là, je l'ai un jour dit en public, près de l'avocat général de la cour d'appel de Paris, un homme assez à droite et sincèrement indigné de m'entendre. Il s'est indigné publiquement, sans trop de cette mauvaise foi qui prend les gens de justice dès qu'ils s'adressent à un auditoire, et avec relativement peu de ces emportements théâtraux que les magistrats reprochent aux avocats. « Comment, monsieur !... Oser contester que la lecture est civilisatrice !... », etc. L'avocat général s'est ensuite humblement vanté de s'être civilisé grâce aux livres. C'est ce qui lui a tout aussitôt permis de souscrire aux propos d'un chroniqueur de télévision extrémiste qui les avait exprimés *dans un livre*. Et c'est sans doute la civilisation par la lecture qui a permis à son confrère l'avocat impérial Pinard de requérir contre Gustave Flaubert en février 1857, puis, six mois plus tard, contre Charles Baudelaire, et d'obtenir leur condamnation par le tribunal correctionnel de Paris. Et voilà comment un civilisé par la lecture a abattu deux des plus grands livres du XIXe siècle, *Les Fleurs du Mal* et *Madame Bovary*. L'enfant poseur qui lit une main sur la cuisse, c'est (supposément) Cicéron, montrant que la lecture n'empêche pas l'insolent lecteur de servir le pouvoir, que dis-je ? de le devenir, puisque Cicéron a exercé le consulat. La lecture civilise tellement que Gavrilo Princip, le Bosniaque qui a assassiné l'archiduc François-Ferdinand à Sarajevo en 1914, croyait suivre la leçon démocratique de Walt Whitman, qu'il lisait avec passion. La lecture civilise tellement que Mark David Chapman, l'homme qui a assassiné John Lennon en 1980 à la sortie du Dakota à New York (en lui tirant dans le dos), transportait avec lui le livre le plus inoffensif du monde, *L'Attrape-cœur* de J.D. Salinger sur lequel il avait écrit « *This is my statement* » (ceci est ma déclaration), signé « Holden Caulfield » (le nom du héros). Plus je lis, moins j'ai l'impression d'être civilisé. La lecture des grands auteurs me montre que je n'ai jamais cessé d'être un barbare, un ignare, un imparfait de la plus grande imperfection et qu'on ne croie pas que je m'en flatte. Je manque de paix intérieure, la lecture ne me l'a pas apportée. Je n'en accuse pas les livres.

Après la jouissance

Et voyez notre fierté dès que nous cessons de lire.

Lire pour avoir lu

Nous sommes fiers, nous avons lu. Je connais quelqu'un dont la plus grande injure est : « Il n'a pas ouvert un livre de sa vie. » Et ma foi.

Danger de la lecture

Je lis le *SCUM Manifesto*, dont j'ai eu une envie communiquée par la lecture du nom de Valerie Solanas dans un livre. Du picorage, me disais-je, ce sera du picorage. Les pamphlets sont des plats bourratifs qui rassasient vite le lecteur. Tout en voyant l'exagération de sa généralisation (« les hommes »), je vois aussi que seule cette exagération et son injustice permettent de harponner certaines idées que les chétives nuances n'atteignent jamais. Et je ne quitte plus ses flamboyantes indignations. La lecture : une ampoule s'allume et éteint ce qui l'entoure.

Lire pour ne pas s'évader

Le 16 février 2008, remontant la rue de Rivoli sur le bord du trottoir afin d'éviter la horde molle des touristes, je croise un petit garçon de 6 ou 7 ans en train de lire. Comme le trottoir est étroit, il doit s'écarter, et le fait, irrité, sans quitter son livre des yeux, en fronçant les sourcils. Nous devrions nous mettre à genoux devant ces petits bodhisattvas de lecture. Ce sont eux et personne d'autre qui maintiennent la gratuité dans le monde.

Cet enfant que j'ai été comme lui, je n'ai pas cessé de l'être. Au Victoria & Albert Museum de Londres où je viens d'arriver et où il est excessivement compliqué d'avoir accès aux salles britanniques 1500-1760, je repars. J'avais la tête occupée par le *Richard III* de Shakespeare dont je venais de lire trois scènes. Par moments, je suis si enfermé dans mes lectures et les imaginations subséquentes que, quand j'en sors, je suis surpris de constater qu'il existe un monde extérieur. La distraction envers les choses de la vie que donne la concentration sur les choses de l'écrit m'est si habituelle que je ne serais pas plus étonné si, dans le métro, je relevais la tête d'un livre et me rendais compte que je suis au bord du lac Baïkal. Je *replongerais* aussitôt dans le livre.

Ces périodes où on lit comme un forcené, qu'est-ce que c'est ? Il faut qu'on se refasse, après s'être vidé pendant des semaines à lire sans sérieux, un peu de ci, un peu de ça, un auteur, un autre. Du sang, du sang, du sang ! Enfant, ma mère me donnait du jus de viande, j'en raffolais. Un élément du plaisir était de voir les lambeaux de viande cuite écrasés au pressoir et cracher leur jus. Telle est la lecture.

Si la plupart des dialogues dans les romans me répugnent, c'est pour la même raison qui fait que les mauvais lecteurs les adorent. Ils nous sortent de la matière (la littérature). On peut s'*évader*.

Naïveté du lecteur
en faveur de la lecture

Je me laisse volontiers abuser par les œuvres d'art non littéraires montrant des livres et les discours favorables à la lecture. Mais enfin, ce n'est pas parce que tout le monde lit des livres dans les films d'un cinéaste qu'il est plus intelligent, ce n'est pas parce que tel candidat à une élection parle de son enfance « où on était pauvre, mais où on avait des livres » qu'il est plus honnête ou plus capable, et je ne sais pas ce que lisait le petit garçon de la rue de Rivoli, ni s'il est intéressant. La lecture n'est, éventuellement, qu'un bon signe.

Lire pour se faire des amis

Lorsqu'on est farouche et qu'on n'ose pas aborder les gens, comme quelqu'un que je connais, les romans sont idéaux. Aux grands lecteurs les personnages des romans deviennent plus réels que les personnes de la vie. Ils pensent souvent à eux, leur rendent visite dans les livres, ils les aiment beaucoup, ils leur manquent souvent, les agacent parfois, enfin, des amis, quoi. À ceci près que ces amis imaginaires ne cachent rien. C'est pourquoi ils sont les seuls à ne jamais nous trahir, pensent les grands lecteurs, qui en oublient quelquefois de prendre le risque de vivre.

Lire le théâtre

Oui, on lit par protestation contre la vie. La vie est très mal faite. On y rencontre sans arrêt des gens inutiles. Elle est pleine de redites. Ses paysages sont interminables. Si elle se présentait chez un éditeur, la vie serait refusée. Encore plus, quand je pense aux dialogues qu'on y entend. Comme ils sont lourds, hésitants, répétitifs ! Je crois que c'est une des causes de l'existence du théâtre. L'homme a inventé le théâtre parce qu'il n'en pouvait plus des conversations de café. Et voilà pourquoi un des grands plaisirs de la vie est la lecture de pièces.

C'est si agréable, surtout quand elles ne contiennent pas d'indications de mise en scène, cette probable manifestation d'un complexe envers le roman. Toute la bonne graisse de faits dans le roman devient mauvaise graisse au théâtre, prudence, peur, dictature. Vive les pièces sans rien qui laissent l'imagination libre ! Et voici une des raisons de lire du théâtre : libérer l'imagination. Ce que d'autre part il favorise peu, car il est de lecture rapide, et la vitesse empêche l'imagination de s'installer. À peine a-t-on commencé, « MAAME QUEUELEU – Aziz, entre, dépêche-toi », que, « MATHILDE – Tu appelles cela commencer, mon Adrien ? », c'est fini.

Arriver en taxi au théâtre, presque en retard, un des plaisirs de la vie ! La voiture se gare. La personne qui vous attend vous aperçoit. Vous entrouvrez la portière, lançant une jambe dehors, tendant de l'argent au chauffeur et attendant la monnaie. Vous êtes bien habillé. Un spectacle va commencer, merveilleux, aussi bien !

La lecture permet de sauter l'ennui. C'est peut-être une erreur. L'ennui bien utilisé est parfois un moyen de nous amener vers autre chose. (Sans compter que l'ennui est une notion très personnelle.) Et sauter des pages est plus long que de lire. Inquiet d'avoir manqué quelque chose, notre œil tracassé nous fait revenir en arrière, et…

J'arrive devant le Pavillon Français du parc de Versailles, dessiné par Gabriel en forme de croix de Saint-André et qui servait pour des collations. Trente mètres plus loin dans la direction de Trianon, on prend à gauche. Entre deux colonnes de pierre, une grille. L'ouvre le responsable du gardiennage des Trianon, qui commande vingt-quatre gardes, c'est peu, il n'y a jamais d'ennuis, me dit-il. Quelques marches, une antichambre bleue, puis, à droite, une petite porte : le théâtre de Marie-Antoinette. Délicieux endroit bleu et or, à l'acoustique arrondissant les voix, vingt banquettes au parterre et un balcon pour le roi. La reine jouait, en effet, ça a été sa perte. N'est-ce pas ici qu'elle a interprété le rôle de Rosine dans *Le Barbier de Séville* de ce Beaumarchais que son mari venait de faire emprisonner puis, manquant d'entêtement dans ses erreurs, libérer ? C'était bien la peine de se choisir pour symbole des peaux de lion, qui supportent le balcon ! Les domestiques qui servaient des sorbets ont dû la prendre pour une folle, lui pour un faible, et les mépriser. À la Révolution, le lieu est resté intact, car rien n'était vendable : les décors sont en carton bouilli. Je monte sur la scène, où, si petite que soit la salle, elle semble très loin. C'est le mystère du théâtre, qui s'appelait mystère au Moyen Âge : en se donnant en représentation, on se mythifie pour le parterre.

Le théâtre peut être le plus enthousiasmant des spectacles, mais c'est un spectacle. Il m'angoisse tellement de rester à l'écart d'une œuvre, d'être un simple spectateur, presque un consommateur, pour le coup, que je n'assiste à aucun spectacle, opéra, récital, concert, ballet comme théâtre, sans un carnet où je prenne des notes. Je me recrée une marge. C'est grâce à la marge que l'on cesse d'être en marge. De plus, je refais livre, en quelque sorte, cette pièce qui était devenue une lecture en action, celle du metteur en scène et des comédiens. Je lis ces spectacles en m'en faisant l'annotateur. La lecture écrite est la plus attentive façon de vivre.

Les raisons ne sont pas éternelles. Fénelon, dans la *Lettre à l'Académie*, dit : « Je ne puis goûter les chœurs dans les tragédies : ils interrompent la vraie action ; je n'y trouve point une exacte vraisemblance, parce que certaines scènes ne doivent point avoir une troupe de spectateurs. » Certes ; mais c'est parce qu'il parle en des temps hiératiques, d'un hiératisme plus pompeux, si je puis dire, que les tragédies grecques, et c'est cela aussi qui, sous son raisonnement, l'agace. Nous qui vivons dans des temps sans rituel d'État (car du rituel il y en a par les émissions télévisées de charité publique), sommes séduits par ces chœurs, dont l'archaïsme nous paraît frais. Mes raisons de lire sont temporelles aussi.

Lire pour le plaisir de lire des livres délicieusement entre nous

First Childhood, Lord Berners (1934) ;

Una notte nel demi-monde, Alberto Arbasino (1964) ;

Great Granny Webster, Caroline Blackwood (1977) ;

Remnants of an Unknown Woman, Ursule Molinaro (1987)

sont de ces livres ratés qui vivront plus longtemps que nous. Très peu les citent, personne ne les achète. Ratés, ratés ! Perdants qui laissez indifférent un monde ne voulant laisser la vie qu'aux vainqueurs ! Restent 3 ou 400 personnes sachant que ce sont de merveilleux livres pour l'humour, la mélancolie, le sarcasme ou l'inventivité, des moments de génie. Je garde pour nous, notre petite bande, comme disait Sénèque, mais nous ne sommes sûrement pas stoïciens, d'autres titres dont je ne prononcerai jamais le nom, même sous la torture de devoir lire un polar. Comment avons-nous fait, nous autres, pour découvrir ces délices ? On a tenté. Raté. Tant pis. Tenté encore. Raté mieux. Tenté à nouveau. En embuscade, prêtes à tirer le lecteur, il y a la Paresse, la Pusillanimité et, plus dangereuse encore, la Modestie. Les lectures s'essaient comme des chaussures. On ne doit pas se dire que celle-ci ou celle-là n'est pas pour nous parce que nous ne sommes pas assez bien pour elle. Il y en a qui ne sont pas assez bien pour nous.

Un lecteur est un sac de phrases

Cet écrivain a fait un livre... Faire en français signifie chier. – Où courez-vous la nuit? – Je veux aller juger. QUI, bouffi d'ostentation, Sur ses écrits est en extase? Une vague intuition traverse le niais. Déesse, chante-nous la colère d'Achille. Voici l'hiver de notre déplaisir. Un temps magnifique pour se pendre. Ils s'en vont, ces rois de ma vie... Vive le roi Babar! Vive la reine Céleste! Il voyagea. Calypso ne pouvait se consoler du départ d'Ulysse. Je me fais de sa peine une image charmante. Nous parlions d'amour de peur de nous parler d'autre chose. I love you, que je lui dis!... c'est du Shakespeare!... La Femme aura Gomorrhe et l'Homme aura Sodôme. Ainsi amour inconstamment me mène. – Quel sujet t'amène, ma fille? – Le souci de toi, Père. Dès ma petite enfance, bien des fois, mon père m'avait parlé du Pavillon d'Or. En disant de moi: « Ce n'est plus un enfant, ses goûts ne changeront plus, etc. », mon père venait tout d'un coup de me faire entrer dans le Temps. Presque tous les écrivains que je connais aiment leur enfance, je déteste la mienne. Mes parents ne m'ont jamais montré que le malheur, dit-il. – Alors, de quoi vis-tu, beau môme ? – Je bricole. La confusion morose Qui me servait de sommeil Se dissipe dès la rose Apparence du soleil. Ça a l'air de rimer. Mettre, à côté de l'alexandrin dans toute sa tenue, une sorte de jeu courant pianoté autour. Quand vint l'heure où le cœur se navre... Weidmann vous apparut dans une édition de cinq heures, la tête emmaillotée de bandelettes blanches. Je déclare mes crimes et qu'il n'y a rien à dire pour ma défense. Ici aussi, marécage. Nous sommes tous dans la fange, mais certains regardent les étoiles. Des combats... votre imagination... le cœur... des souvenirs... Many fêtes. Ç'aurait été géant, on aurait fait des feux d'artifice et mangé des enfants tous les soirs. Si on observait les hommes, on verrait que presque tous mènent une vie timide ou contentieuse, et que la plupart meurent de chagrin. *After their processing, the dead Sit down in groups and watch TV, In which they must be interested, For on it they see you and me. Ein jeder Engel ist schrecklich.* La vraie vie, la vie enfin découverte et éclaircie, la seule vie par conséquent vécue, c'est gnagnagna gnagnagna ; ET J'AI FINI.

La lecture est un tatouage

De toutes les phrases qu'a écrites un auteur, celui-ci sera sauvé si un lecteur en retient une, une seule, qui contiendra toutes les autres dans sa mémoire et l'aidera à entretenir un intérêt, une affection, une possibilité de relecture.

> L'œuvre soustraite au jugement des hommes finit par expirer, dans d'effroyables supplices.
> Samuel Beckett, *Le Monde et le pantalon*

En France, nous aimons bien, simplifiant notre choix, les tatoueurs émérites que sont les auteurs de maximes. On entre dans leurs livres comme dans une échoppe où elles seraient affichées aux murs, pareilles à des exemples de dragons, dauphins, têtes de morts ou motifs tribaux. Ils nous tatouent l'esprit à jamais. Enchantés, nous répétons leurs phrases pour notre réenchantement perpétuel, linottes de luxe qu'un polémiste a surnommées «l'Internationale citationniste». (Il ne citait pas qu'un peu lui-même.)

> Mon esprit m'échappe. Je dois le surprendre par-derrière, en parlant.
>
> Susan Sontag, *Renaître*

«Des phrases courtes, ma chérie...» De qui est-ce, déjà ? Fouquier-Tinville à Marie-Antoinette ?... Il existe une idéologie de la phrase courte qui, comme toutes les idéologies, nie la variété de la vie. Ce qui est bien, ce sont les livres avec les deux : des phrases longues qui font sentir la prestesse des courtes, et des courtes, la suavité des longues. Les livres tout en phrases courtes donnent souvent une impression d'interminable. À l'exception de ceux qui sont faits pour cela. Les recueils de maximes ont le grand avantage qu'on peut leur répondre. Alors que, dans un roman ou un essai, le lecteur est pris dans un filet, les blancs entre les maximes laissent une place pour poser un tiret et prendre la parole. Pascal : «Tous les hommes cherchent d'être heureux.» On se faufile : «En es-tu si sûr ? Ne serais-tu pas un exemple du contraire ?» Les maximes plaisent au lecteur parce qu'elles lui laissent l'illusion du dialogue.

Qui est aussi léger qu'un Français ? Qui va, comme lui, à Venise, pour voir des gondoles ?

Vauvenargues, *Réflexions et Maximes*

Au fait, Pascal n'est pas un auteur de maximes. Ses phrases et ses fragments ont été nommés « pensées », et c'est bien trouvé ; il s'agit de remarques, de notes de lecture, de pense-bêtes, de commentaires irrités de Montaigne, le tout aimanté par sa personnalité et les résurgences du fleuve souterrain de sa réflexion. C'est un essai dont il lui restait à remplir les intervalles. L'aurait-il jamais écrit ? Quant aux maximes, elles ne sont pas des citations. Une citation est, comme l'index de Dieu au plafond de la Sixtine tant de fois reproduit, un morceau détaché d'un auteur qui n'en révèle pas nécessairement l'ensemble. En particulier en fiction. Ce que disent les personnages d'un roman ne peut pas être attribué à l'auteur. Une phrase du Pr Brichot, l'imbécile à étymologies d'*À la recherche du temps perdu*, est une phrase de Proust, pas une pensée de Proust.

Vous ne rencontrez pas assez de cons dans la vie ? Il vous en faut aussi dans les romans ?

André Malraux à Roger Stéphane, *Tout est bien*

La maxime est l'écrit le plus proche de l'écrivain, l'émanation presque sans intermédiaire de sa pensée et de son sentiment. Elle n'est pas de l'extrait, mais de l'essence. Un objet achevé, poli, parfait. Une cartouche. L'auteur la tire sur celui qu'il appelle « l'homme ». L'auteur de maximes est volontiers misanthrope. En général, il a mal réussi sa vie. La Rochefoucauld échoue dans sa carrière militaire, Vauvenargues chute avec la Fronde, Chamfort est un raté de naissance puisqu'il naît roturier dans un siècle aristocrate. De là le ton de désillusion, de dédain ou de dégoût qu'ont souvent les maximes. Ce sont des pastilles *pour* l'amertume. Elles nous la communiquent. Le lecteur en est enchanté. Au contraire des romans où il cherche à s'identifier aux personnages, il peut mépriser à loisir celui qui est le sujet des maximes, cet « homme ». « L'homme » est le nom sublime que l'écrivain de maximes donne à ses ennemis personnels. L'homme, c'est l'autre ; mais pas l'autre lointain et donc adorable, non, l'autre proche, cette ordure. L'homme, c'est le voisin. Il s'en faut d'un pas que le lecteur franchit rarement pour déduire que l'homme, c'est lui. « La reconnaissance de la plupart des hommes n'est qu'une secrète envie de recevoir de plus grands bienfaits » (La Rochefoucauld). Ah le salaud d'homme ! Salaud de pas moi ! Les maximes désignent la faute d'un étranger idéalement mauvais. S'il y a parfois des chrétiens, en ce qu'ils s'accusent de leurs fautes, ce ne sont jamais les auteurs de maximes, et rarement leurs lecteurs.

Le Russe est très enclin aux idées élevées, mais, dans la vie, pourquoi est-il si bas ?

Verchinine dans *Les Trois Sœurs*, d'Anton Tchekhov

On appelle ces auteurs des moralistes. Voilà pourquoi on ne les trouve qu'en France, le pays des mœurs qui jugent. Pire, qui concluent. Un Français est un homme qui cherche à savoir qui couche avec qui afin d'en induire des causes. C'est impossible en Angleterre, où l'on est timide et où l'on vit beaucoup plus à la campagne (c'est la même chose). Le plus souvent, les maximes ont un raisonnement à deux termes, thèse/antithèse, semblable à un casse-noix qui broie l'homme. Est-ce pour cela que le public des maximes, réduit mais durable, est celui des impitoyables, les très jeunes gens, ou des insensibles, les très vieux ?

Car la jeunesse…

Virginia Woolf, *Une chambre à soi*

La lecture de maximes est si bien un tatouage que même ceux qui ne doivent pas en être de grands lecteurs, quand ils en trouvent une qui les frappe, l'inscrivent dans leur chair. Ce n'est pas une image. Le chanteur anglais Robbie Williams s'est tatoué le torse de la phrase française ou à peu près française suivante : « Chacun à son goût. »

Sans teeth, sans eyes, sans taste, sans everything.
William Shakespeare, *Comme il vous plaira*

Comme dans tous les livres, tous, même Shakespeare, même Proust, il y a du déchet dans les recueils de maximes. Seulement, il s'y voit davantage. On dirait des phrases d'assiette. « Il n'y a rien que les hommes aiment mieux conserver et qu'ils ménagent moins que leur propre vie. » (La Bruyère) Oui, bien sûr. Sauf les aventuriers, les masochistes, les monstres. « Un sourire, ça ne coûte rien. » (L'assiette) Oui, bien sûr. Sauf aux aigres, aux grincheux, à bien des moralistes. Pour ces écrivains, tout est guerre. Sauf la guerre elle-même, qu'ils ont souvent faite. Ils en parlent souvent comme si c'était l'amour. La guerre ceci, la guerre cela, on dirait un dieu qui nous tombe dessus. Comme si l'homme n'y était pour rien. Il fait le mal, mais machinalement. C'est en réalité la fatalité que les moralistes attaquent. Ils la craignent, ils y croient. Un des rares qui ne trouvent pas l'humanité un robot mixeur de haine est Joubert, cet « égoïste qui ne s'occupait que des autres », comme dit Chateaubriand, cet égoïste qui ne s'occupait que de lui. Joubert a écrit une phrase des plus affectueuses qui soient, à laquelle ne convient donc pas l'amère appellation de maxime : « Quand mes amis sont borgnes, je les regarde de profil. »

Je vais vous raconter un geste de Phalaris, qui n'était pas tout à fait dans ses habitudes. Ce geste témoigne de profonds sentiments humains, raison pour laquelle il semble ne pas être de lui.

Élien, *Histoire variée*

Les meilleurs des moralistes sont ceux qui expriment une personnalité malgré le jugement moral. Quand on a du talent, on oublie la morale et on trouve le sentiment. (Maxime.) Même La Bruyère, si impitoyable, peut avoir un cri du cœur : « Qu'il est difficile d'être content de quelqu'un ! » Certains en deviennent poètes, comme Pascal. Et qui est plus humain que Chamfort quand il écrit : « Paris, ville d'amusements, de plaisirs, etc., où les quatre cinquièmes des habitants meurent de chagrin » ? La France aime tellement les maximes que, à côté de ces spécialistes, elle s'est peuplée d'amateurs. Bien des écrivains ont, à un moment ou l'autre, publié des maximes. On pourrait en tirer un volume de maximes françaises modernes comme il y en a de l'âge classique.

L'art de la composition est l'art d'affadir.

Paul Léautaud, *Propos d'un jour*

On fait des vers avec sa voix. Si nous connaissions mieux ce rapport très véritable nous saurions quelle fut la voix de Racine.

Paul Valéry, *Ego scriptor*

Mis à part la religion et le sexe, je pourrais vivre comme un moine.

Édouard Levé, Suicide

La mort de n'importe qui c'est la mort entière. N'importe qui c'est tout le monde.

Marguerite Duras, Écrire

Une des plus splendides serait :

À tout bout de passion se retrouve la lâcheté.

Jules Barbey d'Aurevilly, Memoranda

Je la verrais bien tatouée sur le dos d'une chanteuse lesbienne, féroce d'intelligence, blessée, violente, obscure. Pas gros public, tout ça.

La prochaine personne qui me dit joyeux Noël, je la bute.

Myrna Loy dans L'Introuvable (The Thin Man).

Les recueils de maximes sont les livres à lire le plus lentement. Leur condensation fait qu'une consommation trop importante entraînerait des éblouissements.

Nous engageons vivement nos lecteurs à mourir avant d'avoir vu toutes ces horreurs.

Érik Satie, Pronostics pour l'année 1889

Lire pour découvrir
ce que l'écrivain n'a pas dit

On peut lire pour découvrir ce que l'écrivain n'a pas dit. C'est en général pendant les rêveries consécutives à la lecture qu'on y pense, quand on relève la tête, index plié contre la bouche, regardant au loin sans voir. Tiens ?... Chateaubriand, dans ses livres, ne dit pas un mot de Stendhal... Pourtant, Stendhal était un diplomate comme lui et il cite de bien moindres auteurs... Oui, mais Chateaubriand ne complimente qu'en dessous de lui et à l'intérieur de sa bande. Tout doit servir sa gloire. Il n'aurait même pas le sens tactique de dire du bien d'un écrivain hors de son « réseau ». (D'ailleurs, il ne l'a pas eu.) Il devait croire que Stendhal en avait un, de réseau, lui qui n'avait que des amis. Stendhal le traitait de charlatan dans des journaux anglais, sous pseudonyme, mais on peut être sûr qu'un proche bien intentionné l'avait rapporté à Chateaubriand. Celui-ci n'allait pas faire le plaisir à un puceron dont il ne sentait même pas la morsure de prendre seulement acte de son existence ! Marguerite Duras, qui a parlé sans honte de son alcoolisme, a celé son avarice dans ses livres. Pourquoi ? L'avarice aurait-elle été pour elle un défaut plus honteux ? Ce serait exceptionnel. Les avares adorent généralement leur avarice. Ils savent qu'on la moque, mais ils pensent que c'est une injustice et qu'on ne comprend pas ce qui est en réalité, à leur estime, une vertu douloureuse. L'avarice est le génie des gens qui n'ont pas d'autre talent. Duras en avait, du talent, et n'en était pas qu'un peu sûre. La vanité a donc chez elle tué la conscience de son avarice. Elle a caché bien autre chose, tout ce qu'elle doit à un autre écrivain. (Oh ! elle n'est pas la seule.) À ses débuts, elle écrivait dans un style réaliste 1930 pas très différent de celui de Claude Farrère (1876-1957, cap. corv., prix G., Ac. fr.), dont elle s'est dégraissée sous l'influence de cet autre écrivain, sans l'avouer. Dans « La mort du jeune aviateur anglais », elle ose écrire : « Il y a une écriture du non-écrit. Un jour, ça arrivera. Une écriture brève, sans grammaire, une écriture de mots seuls. Des mots sans grammaire de soutien. Là, écrits. Et quittés aussitôt. » Et si je dis qu'elle ose l'écrire, c'est qu'elle le fait sans la référence à laquelle on ne peut pas, elle ne peut pas ne pas penser, ce Beckett qui a écrit comme cela avant elle et pas secrètement. (« La mort du jeune aviateur anglais » est un beau texte d'*Écrire*, pas du tout ressemblant à ce programme, litanique, rhétorique, *écrit*, et très bien.) Beckett, maigre écrivant maigre, a démodé toute une littérature Second Empire-IIIe République qui se perpétuait avec l'autorité institutionnelle de la vermoulure refusant de céder. Georges Duhamel secrétaire perpétuel de l'Académie française, Alexandre Arnoux, Roland Dorgelès, Hervé Bazin et André Billy à l'académie Goncourt (Alexandre Arnoux, Roland Dorgelès, Hervé Bazin, André Billy !), jusque dans les années 1960, et au-delà, Sartre lui-même n'était pas exempt de gras, disons de bouffissures. Survient un maigre, et les gros se dégonflent, filant vers le ciel avec un tout petit sifflement. Le style maigre sera remplacé par un autre, à la faveur d'un écœurement, ils sont lents à venir.

Ce qui n'est pas dans les livres peut être révélateur de bien plus que les cachotteries. Je lis un livre intéressant sur *La Chasse à l'homme*, publié par une maison tout à fait morale. Les chasses à l'homme réelles. Il y a tout le monde, les sorcières, les noirs, les juifs, tout le monde, sauf les gays. Quand c'est à ce point de refus de mentionner des faits pourtant très référencés et se pratiquant dans des pays qui se piquent de ne pas être le Soudan où c'est peine de mort ni la Jamaïque, le super sympa pays du reggae où les *battymen* sont lynchés, non, non, dans l'Angleterre du célèbre *habeas corpus*, la charmante Italie et la libertine France, où l'on poignarde les gays dans les parkings, on se définit aussi par ce qu'on ne dit pas. Et si je peux dire ce livre homophobe parce qu'il est d'anthropologie, cela serait impossible avec de la fiction. Aucun livre de fiction ne prétend au général, il observe le particulier ; il ne cherche pas l'exhaustivité, il cherche l'épuisement d'un détail. Si de la fiction s'était intitulée *La Chasse à l'homme*, elle aurait été à *un* homme, d'une couleur, d'une condition, d'une époque, d'un goût sexuel particuliers. L'auteur n'aurait pas voulu tirer une leçon, générale et applicable à tous, mais établir une leçon, comme on dit dans l'établissement d'un texte ancien ; non pas : voici ce qu'est la société, mais : voici comment on a pu arriver à un cas. Chacun est un moyen différent de percevoir. Une thèse sur les lynchages, un roman de Faulkner. Et Faulkner n'arrive à rien politiquement, car, comme tous les bons livres, les siens sont des projets de forme.

Certaines fictions ont des effets politiques. *La Case de l'oncle Tom* (1852) a éveillé l'indignation du public américain sur la condition des noirs. Pourquoi *Tamango* (1829), montrant la participation d'un noir à l'esclavage de noirs, n'a-t-il eu aucun effet ? Pour la même raison sans doute : Harriet Beecher-Stowe et Prosper Mérimée avaient eu une intention. Une intention autre que formelle ; une intention politique. Sentant que l'auteur a instrumentalisé la fiction, le lecteur choisit. Dans ce cas, il a défendu la faiblesse.

Ce n'est pas que le lecteur soit mieux que l'électeur, c'est que, sortant de la littérature en voulant parler à un public, chaque auteur a trouvé celui qui correspondait à son ton, Mérimée, un petit cercle de moqueurs, Beecher-Stowe, un grand public bien intentionné. Même si *La Case de l'oncle Tom* est épais, il émeut en faveur des esclaves, même si *Tamango* est fin, il reste sarcastique et on ne peut que se dire : et alors ? Des noirs ont participé à la traite des noirs, est-ce que ça devrait justifier la traite ? Ou de mépriser les noirs, car il y a de ça au fond des fictions à intentions négatives, comme encore les romans montrant un juif français collaborateur pendant la guerre ? Le lecteur décèle très bien l'hypocrisie. Et, soit qu'elle lui plaise parce qu'elle va dans son sens, soit qu'elle lui déplaise parce qu'elle le heurte, il l'accentue ou la déjoue en faisant un triomphe au livre ou en l'ignorant.

Lire pour le vice

Victor Cousin, le philosophe, disait : « Je monte à l'échafaud, quand je me couche. » Enfant, adolescent, jeune homme, j'étais comme lui. Je le suis encore. Arrêter d'écrire, de lire, de s'amuser, pour ça ! Il faudra me pousser vers la tombe, mon squelette freinant des talons dans le gravier pendant que mes métatarses tourneront les pages d'un livre et que, claquant des mâchoires, je protesterai : « Je n'ai pas fini ! Je n'ai pas fini ! » Ah, quel vice.

Je ne fais pas tellement référence à la phrase de Valery Larbaud, « ce vice impuni, la lecture », d'ailleurs il est puni, par les sondeurs, mais aussi par tout ce que la lecture nous empêche de faire à cause du temps qu'elle prend, à commencer par faire fortune. Chose que Larbaud ne pouvait pas voir, car il était très riche. Non, je parle du vice des grands lecteurs qui, à force de lire, prennent un goût difficile et n'aiment plus que la littérature excessivement raffinée, voire faisandée. Je sors enchanté du « Plus bel amour de Don Juan » de Barbey d'Aurevilly. Non du bonheur épanoui que peut donner Stendhal (à qui Barbey ressemble tant), mais d'un plaisir de connaisseur pour une liqueur forte et bien fabriquée. Ça manque de naïveté, ça ne veut d'ailleurs pas en avoir, c'est méchant comme le catholicisme et les prêtres et le dogme dont il est plein (ah qu'il ressemble peu à Stendhal !), mais quel génie ! Un génie de forme, comme tous, et d'autant plus génial que la forme est un écho du sujet. Son histoire perverse, il la raconte perversement. « Il vit donc toujours, ce vieux mauvais sujet ? » dit la première phrase, et quelqu'un répond que quelqu'un lui a raconté une histoire extraordinaire qui a fait suite à un dîner où il y avait... Et le récit de cette aventure sexuelle est sans cesse retardé, donnant au récit le rythme exact d'une masturbation sans cesse interrompue et reprise pour organiser un retard à la jouissance.

Je crois qu'on n'apprend pas plus son métier de lecteur en lisant que, en écrivant, on n'apprend son métier d'écriveur. Si écrire n'est pas plus facile en vieillissant (plût au ciel !), lire non plus. Il ne s'agit pas de métiers, sans doute. Ce mot est un résidu de la littérature des années 50, *Le Métier de vivre*, les livres de Leiris, tout ça. Il n'y a pas plus d'art de lire que d'art d'écrire. Comme disait Woody Allen : « J'ai pris des cours de lecture rapide. J'ai lu *Guerre et Paix*. Ça se passe en Russie. »

Il ne faut donc pas me demander quoi lire. J'ai parfois le goût tellement difficile à force d'avoir lu que je conseillerais des livres biscornus, les moins réguliers des chefs-d'œuvre : *Henry IV* plutôt que *Macbeth*, la *Vie de Rancé* plutôt que les *Mémoires d'outre-tombe*. Les grands lecteurs sont des alcooliques reprenant un verre, des obèses se resservant de baba, des adolescentes remettant une couche de vernis à ongles à paillettes, des décorateurs multipliant les bibelots, des allongées sur la table d'opération qui, tirant le chirurgien par la manche de deux doigts d'acier, disent d'une voix engourdie mais impérieuse : « Gonflez davantage les seins ! » C'est grâce à ces excès de bouche que les écrivains réputés difficiles sont goûtés. Sans les grands lecteurs avides de saveurs raffinées, on resterait indéfiniment aux écrivains de régime. Et c'est aussi grâce à eux que les écrivains qui ont eu le malheur d'avoir un grand succès de leur vivant sont remis à la carte. Joyce, vous comprenez, c'est très *mainstream*, désormais. Du bavarois au kiwi. Il y a trente ans, le kiwi était rare en Europe, on l'importait de Nouvelle-Zélande, à présent on le cultive même en Angleterre. Personne ne conteste le génie de Joyce, tout le monde a compris l'importance de l'échec de sa tentative de créer un nouveau langage dans *Finnegans Wake* (et donc, d'une certaine façon, sa réussite, car la réussite esthétique consiste parfois en la tentative, c'est une des plus intéressantes inventions du XXe siècle avec la 3G), on excuse ses récits « classiques » comme *Gens de Dublin*, je l'aime beaucoup, tout va bien. Tellement bien que, sans moi, qui vous dirait que Joyce, parfait, mais Galsworthy ? Ah, je sais, je sais. Moi-même, je n'y suis venu que tard. Il a fallu écraser un préjugé ancien, celui d'avoir vu, adolescent, des volumes de *La Dynastie des Forsyte* chez n'importe qui, positivement n'importe qui, des gens qui ne lisaient jamais. Je ne laisse plus l'impitoyable ignare que j'étais à 17 ans gouverner mes pensées d'adulte. Comment ne serait-on pas chez n'importe qui quand on a reçu le prix littéraire le plus célèbre du monde ? Et tant mieux pour lui s'il a eu le Nobel. Il a dû être content. Cela l'a libéré de ses amertumes, de ses angoisses, de tout ce qui pouvait distraire sa création. Enfin, je l'espère. Je connais mal sa vie, mais c'est en général un des heureux effets du succès. Je suis très pour le succès, moi, surtout quand il va au talent. Je me demande si Galsworthy n'est pas mort juste après son Nobel, sans avoir pu le recevoir, ou quelque chose comme ça, pour satisfaire les moralistes, ces idéalistes pour les autres. « Eh eh. Pas le prix qui fait la valeur. Pas eu le temps d'en profiter. Abus réparé. Trop connu pour moi. Gr. Gr. Remettez-moi un verre de bile. »

Le bon des grands lecteurs, c'est qu'ils n'arrivent pas à un relativisme total, tout au contraire. Si je peux me placer un instant derrière eux, je ne veux pas réparer une injustice en en créant une autre. Je ne prends pas Galsworthy pour l'égal de Joyce, je dis simplement qu'il a une place. *La Dynastie des Forsyte*, ce Zola ironique, me semble limité à un seul plan, le sarcasme, alors que Joyce est moiré, inattendu, vraiment grand, mais Galsworthy est mieux que les joyciens. Il a tenté quelque chose tout seul.

Montre-nous ta myopie, John.

Prix Nobel. Un prénom standard. Un nom trop anglais. Le monde allait être pris par les décolonisés, les hors d'empires, les Irlandais, les Antillais, et pourquoi non ? Plus cet air un peu *butler*. Pas le chic dégingandé de Joyce, non, un chic de domestique qui imite le patron, avec cette stupidité de la croyance au chic quand on la prend autrement qu'humoristiquement. La postérité est un caprice.

Le relativisme a du bon. C'est lui qui empêche les guerres. Le relativisme est l'affirmation discrète que ce qu'on pense n'est pas la vérité. Les antirelativistes sont souvent des forcenés qui pensent sans (se) le dire que ce qu'ils pensent doit être le critère absolu. Et ça fait des gens qui inventent ce chantage. Il y a Joyce, il y a Galsworthy. Il y a moi, il y a les autres. La lecture apprend cela, si on lit un peu contre soi.

Il ne faut pas demander de conseils, il faut voler les trésors.

Lire contre le raisonnable

En art, la raison plaît aux vivants, la folie aux posthumes. Voilà pourquoi Anatole France mort est jeté comme une truite en gelée avariée, et Alfred Jarry amuse. Il faut qu'il soit mort. La bienséance, cet écran posé devant les artistes vivants, empêche qu'ils deviennent connus s'ils ne la respectent pas assez. Le seul moyen pour eux de ne pas être malheureux consiste à l'amadouer sans compromettre leur énergie. Comme lecteur, il n'y a que la folie qui m'amuse. Les raisonnables m'ont toujours fait fuir.

Lire est déraisonnable. Il y a des choses bien plus importantes, disent les importants. C'est vrai. Et, le sachant, nous continuons en sifflotant ces lectures qui nous privent de la gloriole et de la fortunette.

Lectures en croûte

Et lisant un livre délaissé, non seulement on lit ce qu'il raconte, mais on le fait en réfléchissant à ce qu'en avait pensé l'avant-dernière génération (celle qui l'a aimé) et en cherchant à deviner pourquoi la génération suivante l'a dédaigné (celle qui nous a précédés et avait si mauvais goût — il faudra la deuxième génération après nous pour sauver le nôtre). Un livre n'est seul que quand il est inconnu. C'est la meilleure chance qu'il a d'être jugé pour lui-même. Et pour qu'il soit inconnu, il nous suffit d'être ignares.

Je reviens de ma bibliothèque. Quel enfant disgracié ! Elle a deux bras hypertrophiés, une tête grosse comme une épingle, un estomac de Bouddha, il lui manque un pied, elle est borgne. Ah ! de l'écrivain français, de l'anglais, de l'américain, de l'italien, du latin, du japonais, du grec, de l'autrichien, elle n'en manque pas, mais elle est anémique en Indiens, par exemple. Un milliard d'hommes, dix-sept langues, deux mille trois cents ans privés de rayonnages. Une bibliothèque est une expansion de notre paresse. Nous la rassurons par l'idée que nous n'avons pas de la place pour tout, mais ça n'est pas vrai. Et je lirai ignare des romans indiens célèbres, frais comme quand ils ont été publiés. C'est ce que me soufflera cette ignorance pour s'éviter de reconnaître qu'il y a aussi l'histoire, la gastronomie et je ne sais quoi d'autre d'indien qu'elle ne connaît pas.

Tout écrivain célèbre depuis longtemps est pareil à un lièvre sans os qui dort dans un pâté, comme disait Saint-Amant. Une croûte d'appréciations le recouvre, que le lecteur doit casser. Voici quelques années, j'ai été pris d'un violent rejet de Pascal. Une relecture du *Cid* m'avait exaspéré, et je l'avais jeté avec lui : assez de ces écrivains toujours justifiant un pouvoir ou un autre ! Le reprenant, j'ai constaté mon erreur, qui venait en réalité de la conjonction de la lecture de la pièce de Corneille et de celle de la biographie de Pascal par François Mauriac, qui le traite, avec délectation, de Saint-Just, de terroriste. Ça a l'air si vrai que je l'ai cru, oubliant qui le disait. Les esprits serpentins comme Mauriac frissonnent du tranchant chez les autres et l'exagèrent. Donne le fouet à droite, Blaise, je tire au centre ! Pascal est un penseur nuancé, plus nuancé que lui-même n'en donne l'air dès qu'on s'éloigne de lui. J'ai eu la double joie de me défaire d'une erreur et de me repeupler d'un génie.

Un écrivain, dès son livre refermé, se réduit, se simplifie, devient seule chose, et sommaire, quasi morte. Un pantin de bois. La lecture rapproche et redonne vie. Le monde qui ne lit pas est myope, le monde qui lit est loupe.

Lire de mauvais livres
(portrait de tout le monde en vampire)

Pour les mêmes raisons de faisandé, j'aime bien les romans de vampires, comme, d'Anne Rice, *Le Voleur de corps* (*The Tale of the Body Thief*, *Chroniques des vampires*, IV, 1985). Il se passe au moment de son écriture, à Miami. J'aime moins le premier de la série, le célèbre *Entretien avec un vampire*, en Louisiane et en Europe au XVIIIe siècle. Je n'aime pas les livres en costumes. Ils me semblent faux par nature.

J'ai lu comme on trempe un quinzième Chicken McNuggets dans de la sauce barbecue les *Âmes perdues* de Poppy Z. Brite (*Lost Souls*, 1992). Son style au goût écœurant n'est pas mauvais, n'est-ce pas, juste écœurant. Et on aime parfois la sensation de l'écœurement. C'est une forme d'ivresse. Dans ce genre (d'écrire dans les limites d'un genre est la limite de ces auteurs, étant un renoncement à l'ambition stupide et sublime de vouloir écrire un chef-d'œuvre), elle a beaucoup de talent. « Il n'avait plus mal, il n'avait plus froid. Après avoir bu une vie, il se sentait un peu moins seul, et si le garçon était mort en croyant qu'il allait revenir d'entre les morts, il ne pouvait rien y faire. Mieux valait laisser les enfants mourir avec leur foi intacte. »

Les romans de vampires sont des métaphores des minorités. Un vampire, ça n'existe pas, on sait donc qu'il a valeur de symbole. Un vampire, c'est un adolescent (tout le monde est adolescent, mais un adolescent se croit minoritaire, d'ailleurs il l'est, dans cet affreux passage du temps), un obèse (il nourrit son malheur), un gay (non, non, pas le sang du sida, lequel frappe majoritairement les hétérosexuels, je crois, il y avait bien de l'ambiguïté déjà dans le 1922-esque *Nosferatu*). Et l'outrance esthétisante de ces êtres venge les anxieux du sexe, de la beauté, de l'âge.

Murnau était un vampire du droit d'auteur, ayant adapté le *Dracula* de Bram Stoker sans demander d'autorisation. Le procès perdu, son film a été détruit, se ratatinant sous les flammes comme un vampire au soleil. Il a été sauvé grâce à des copies de contrebande, vampires de vampire. Tout ce qu'on doit à l'immoralité dans le monde !

Et pourtant les romans de vampires sont aussi des romans sur la conscience. Il n'est donc pas étonnant qu'ils aient été inventés par des protestants, comme Bram Stoker, protestant de Dublin, et continuent à être écrits par des protestants, généralement anglo-saxons. Ce n'est pas tant que les protestants aient plus de conscience que les autres, mais ils s'en flattent. Un snobisme suffit parfois à créer une vertu.

J'ai essayé de lire *Twilight*, c'est trop dur. Il reste à Stephenie Meyer 84 999 999 lecteurs de ces romans qui ne sont ni bien, ni mal, ils sont nuls. Des dialogues où l'on répond aux questions, « Tu vas au lycée, Bella ? – Oui, Edward, je vais à l'école », et ainsi de suite, c'est trop d'efforts, Wittgenstein est plus facile, je vous assure. Le manuscrit de *Twilight* a été refusé par quatorze agents avant d'être publié. Hélas, il y a toujours un quinzième agent. L'histoire des succès populaires est faite de la quinzième tentative. Les éditeurs tentent tant qu'ils peuvent de ne pas vendre et de préserver la littérature, rien n'y fait. Ainsi est né *Twilight*, le premier roman de vampires qui ne soit pas fait avec du sang, mais avec du navet.

Comme tous les succès populaires et au contraire de la littérature, on peut sans doute expliquer son succès. Ici, une morale qui concorde avec la morale du XXIe siècle commençant. Elle est très contradictoire de la légère subversion du genre

« vampires ». Tout ce qu'ils avaient annoncé et que les adultes des années 1970 avaient réussi, convaincre la société qu'il y a deux choses séparées, l'amour et le sexe, sans que pour cela elle s'effondre (tout le monde le savait et le pratiquait, ces voltairiens *n'ont fait que* ridiculiser une hypocrisie), est superbement ignoré par celui-ci. L'ignorance ne manque pas de panache.

La littérature George W. Bush a son best-seller. Il avait été préparé par des livres dont nous n'entendons jamais parler en Europe, des romans chrétiens apocalyptiques qui se vendent à des millions d'exemplaires. Nous verrons si Barack Obama réussit à ramener la raison, ce qui semble son sujet. En 2010, il a osé débrancher une superstition organisée par l'État en supprimant les vols habités vers la lune ; ils avaient été réinstitués par l'administration Bush-Cheney, la plus méprisante envers l'humanité qu'on ait vu en Amérique. Tant de raison le fera haïr.

Les romans de vampires, je fais semblant de les aimer plus que je ne les aime. Ils me servent à ne pas avoir l'air de ne lire que du rare ou du chef-d'œuvre – or c'est avec les livres *cheap* que je pose, vous voyez, à l'envers. Au mariage de Nick et Rena à Marin County, il y avait des Anglais mi-persifleurs, mi-admiratifs, qui disaient en me voyant allongé dans l'herbe avec mon Proust : *« Is it really your summer reading ? »*, c'est réellement ta lecture d'été ? Chaque été depuis longtemps je relis tout ou partie d'un volume d'*À la recherche du temps perdu*, et ça n'a rien de bien compliqué, sauf pour le complexe universel, qui y voit une affectation, ou un reproche, ou un motif d'admiration, alors qu'on ne devrait même pas y prendre garde. Cette histoire de pose par la lecture est très étrange. Il y a des lecteurs qui posent, non vis-à-vis des autres, mais vis-à-vis d'eux-mêmes, en lisant certains grands livres. Eh bien ! Si ça les leur fait lire !

Stephenie Meyer. Poppy Z. Brite. Anne Rice. D'où vient que les femmes soient si nombreuses et presque les seules à écrire de la littérature de vampires ? Les hommes sont presque les seuls dans le polar et le thriller. C'est du steak, de la réalité bien épaisse, du boulot de mec régnant sur le barbecue du week-end. Les romans de vampires, des manches en dentelle, du velours violet, du blush neige, des trucs de fille. Les romans de genre perpétuent l'organisation sexuelle dominante. Il n'est d'ailleurs pas dit que les hommes aient la part la plus prestigieuse. Ces enfants sont piégés par le Meccano, les femmes, par l'élégance. Les attributs sont des illusions. C'est sans doute pourquoi la littérature de genre, qui joue avec les attributs, n'est pas exactement ce qu'on appelle de la littérature, si la littérature est de l'écrit qui n'entre pas dans des cages.

Les mauvais livres ont une influence considérable sur les bons auteurs. Ceux-ci n'ont que très peu d'influence, ou ils ne l'ont que tardive. Quand on a compris (assez vite) que Marcel Proust était un grand écrivain, ses confrères se sont dit : il sait faire ceci et cela mieux que nous, laissons-le-lui. De leur vivant, les grands écrivains n'ont d'influence que négative. Après leur mort, assez longtemps après, il arrive qu'ils se diffusent dans le grand public ; là, leur influence devient considérable. Bien des moindres écrivains du XXe siècle ont voulu faire du Proust. Quelle influence a subie Proust ? Saint-Simon et Chateaubriand l'ont moins influencé qu'ils ne lui ont permis de reconnaître sa propre part mémorialiste et pamphlétaire. Les passages Chateaubriand et Saint-Simon d'*À la recherche du temps perdu* sont tout à fait conscients, et d'ailleurs ni des imitations, ni des démarquages, mais des hommages légèrement ironiques ; comme quand Charlus vieux se remémore ses amis, « Hannibal de Bréauté, mort ! Antoine de Mouchy, mort ! Charles Swann, mort ! », allusion au moment où, dans les *Mémoires d'outre-tombe*, Chateaubriand fait la litanie des puissants du congrès de Vérone : « L'empereur de Russie, Alexandre ? Mort. L'empereur d'Autriche, François ? Mort. Le roi de France, Louis XVIII ? Mort. » Proust, visant le génie, a évité les génies, et plus ou moins volontairement subi l'influence de moins bons écrivains. Le génie est un vampire. Il vole à l'écrivain mineur ses bonnes choses qu'il porte à un degré génial. Il arrive, excessivement rarement, qu'il ne réussisse pas, et c'est là qu'il nous permet de voir l'influence. (Sans ça, son génie la cache.) Quand Proust fait parler à Norpois d'« un ouvrage relatif au sentiment de l'Infini sur la rive occidentale du lac Victoria-Nyanza » (*À l'ombre des jeunes filles en fleurs*), c'est du Labiche, ça n'est du reste que du niveau de Labiche, du pouffement d'industriel de province un peu lettré. Où l'on voit l'influence non transfigurée, c'est que cette parole telle quelle est inconcevable de la part de Norpois, car il le dit sans ironie, or c'en est une. Moment où l'auteur ne peut s'empêcher de faire une grimace derrière son personnage. C'est une des choses les plus difficiles à ne pas faire. Alléluia, Proust a un défaut ! Il est humain ! Pas de dieu sur terre ! S'il a une ride, on excusera peut-être nos trognes !

Influence des mauvais écrivains sur Balzac : les romans historiques à bon marché ; sur Flaubert, l'*Ahasvérus* d'Edgar Quinet ; sur Joyce, *Les lauriers sont coupés* d'Édouard Dujardin… Joyce, chevaleresque, a reconnu lui avoir pris l'idée du monologue intérieur. On lit un mauvais livre et on se dit : quel dommage ! Une si bonne idée si mal exploitée ! Et, la désenchâssant d'un ouvrage qui l'aurait entraînée dans l'oubli, on la perfectionne et sauve par là même le livre initial.

Je ne vois rien de plus naïvement snob que de prétendre qu'on *adore* les mauvais livres, comme le fait Auden dans *« Writing »* (*Prose 1926-1938*). Les bons livres, ça n'est pas si mal. Je lis les mauvais comme les autres, au fond, pour découvrir des hasards heureux.

Le vampire, c'est le lecteur.

Secrets et mystères

Il y a des lecteurs qui lisent pour découvrir un secret. Hélas, ils le découvrent. Qu'est-ce que c'est, le plus souvent, un secret ? Un mouton de poussière caché derrière une porte. Il est curieux qu'on ne nous révèle jamais de secrets lumineux. C'est comme si on ne le voulait pas. La passion de découvrir des secrets bas est la manie des haineux, au mieux des envieux. Ce goût du bas a peu de résultats, sinon de déchaîner, éventuellement, des massacres collectifs. L'amer amour de ne pas s'aimer qu'éprouvent si souvent les hommes.

Le secret, c'est assez simple, malgré le prestige qu'on a conféré au mot : ou c'est une faute dissimulée, ou c'est un beau geste caché. L'un ou l'autre, il serait naïf de croire que l'homme réside uniquement dans son secret.

Le mot approbatif de Balzac est « poète », son mot péjoratif est « secret ». À peine péjoratif. Il prétend sans cesse en révéler, comme si c'était la fin de tout. Il avait mauvaise réputation dans ce qui ne s'appelait pas encore le milieu littéraire à cause de ses élans commerciaux, dont le mot « secret » était une manifestation. Les lecteurs s'en rendent rarement compte, mais « secret » dans un titre est le clin d'œil de la prostituée dans les mauvais films. « Viens, mon rat, tu verras le bonheur. » C'est un mot qui gâtait d'avance le contenu de bien des Balzac pour ses contemporains. Pour nous qui l'avons lu et relu et avons éprouvé son génie, le contenu a suinté sur le contenant, et le mot « secret », comme dans *Les Secrets de la princesse de Cadignan*, a perdu de sa vulgarité. Ah, il y allait, pour héler le passant ! Le mot « courtisanes », aussi (*Splendeurs et misères des courtisanes*). Tout ce qui évoque les dessous dans un titre, métaphoriques ou réels, est entaché de démagogie.

Sans même descendre jusqu'aux *Mes secrets de beauté* et autres *Les Secrets du génome*, les titres avec le mot « secret » sont généralement le gloss des livres nuls :

L'Ultime Secret, Bernard Werber
Le Grand Secret, René Barjavel
Propos secrets, Roger Peyrefitte
Brûlant secret, Stefan Zweig

Il peut aussi être le mot d'escrocs purs et simples, la preuve en est le

Journal secret

de Pouchkine. C'est un faux.

Je suis pour la révélation des secrets. Non parce qu'ils seraient la clef de tout, mais, précisément, au contraire. Ils ouvrent de pauvres portes dérobées donnant sur des réduits. Les montrer pour s'en débarrasser et aller à l'essentiel. C'est l'intéressant procédé de la série américaine *Brothers & Sisters*. Les personnages n'ont aucun secret les uns envers les autres. Dès qu'un événement caché ou nouveau arrive à la connaissance de l'un, il le dit à l'autre. « Papa avait une maîtresse. » « Tu dois dire à Jonathan que tu as couché avec Warren. » Cela doit participer de cette chose très américaine, l'idéologie de la droiture. En tout cas, cela fracasse la pauvre dramaturgie du secret. Le secret est un truc d'artiste paresseux. Alfred Hitchcock a construit son œuvre entière là-dessus. Il en est déplorable, parce qu'il avait beaucoup de talent. Quantité de moments de ses films le montrent ; mais il a voulu plaire au plus grand nombre ; il a méprisé son talent. De là ce ton persifleur et fat qui, peut-être, était chez lui une forme de gêne. Équivalent Hitchcock en littérature, Edgar Poe. User tant de talent à des inventions d'énigmes ! Une fois le secret de ces prestidigitateurs connu, que reste-t-il ? Un misérable petit tas de ficelles.

Le roman est l'élucidation d'un mystère. Celui d'un personnage. Nous paraissons toujours simples aux autres, parce que nous ne leur montrons généralement qu'un côté, un caractère simplifié qui nous arrange et les arrange. C'est une fois morts, quand cette politesse est tombée, que nous nous compliquons. Un personnage, c'est comme un mort. Quelqu'un qu'on retourne dans tous les sens pour en comprendre le fonctionnement. Pourtant, pour bien des romanciers, un personnage reste comme une personne dans ses rapports vitaux, réduite (croient-ils, pour leur commodité) à un côté soleil et un côté ombre. Une mécanique dont la clef serait un secret. Qu'ils connaissent, bien sûr. J'aime mieux qu'on leur laisse de l'opacité. Qu'on ne les devine pas mieux que, dans la vie, nous ne le faisons des hommes. On ne sait jamais tout d'un être. Ce tout a d'ailleurs une existence incertaine et un intérêt relatif. Notre personnalité ne se résout pas à un truc. Dans un certain roman, l'auteur révèle dès le début le secret du personnage. Les secrets existent, tout le monde en a ; souvent les mêmes. Comment se fait-il que, avec les mêmes origines familiales que bien d'autres, ce personnage soit devenu ce qu'il est ? C'est le mystère, et le sujet du livre. Ah, voilà. Le mystère me paraît plus significatif que le secret. On peut dévoiler les secrets, on n'explique jamais les mystères. Tout au plus peut-on essayer de montrer comment ça s'est passé, par quelle étrange combinaison la part inexplicable d'un être, cette part spirituelle, folle, lui crée un destin.

Il y a toujours un trou dans le raisonnement le plus impeccable. C'est le moment où, s'approchant de l'explication fondamentale, celle-ci s'enfuit comme une bille au fond de l'espace. Et c'est cette connaissance toujours plus fuyante que l'on peut appeler mystère. Il est sans doute nécessaire qu'elle fuie : ce faisant, elle nous attire. Et l'homme, en plein désert de la compréhension, continue à avancer, ahanant, vers cette aguicheuse.

La nature du secret est de vouloir le rester. La maladresse de la fiction est d'aller à sa recherche. Ou plutôt, c'est son adresse technique, son *art*, mais sa pauvreté sensible. D'une *Iliade* et d'une *Odyssée* abrégées et des *Contes et Légendes de la mythologie grecque* lus enfant, j'ai acquis une croyance en quelque sorte mystique en ce que l'esprit nous échappe et s'impose à nous de façon mystérieuse, mystère qu'il ne faut pas chercher à élucider. Les mystères sont faits pour être approfondis.

Lire par pari

J'achète, 6,99 €, ce qui me paraît bien cher pour du Gérard de Villiers, dis-je au kiosquier qui s'en fout, le dernier SAS, *Rouge Liban*. Du poker lecteur. Pour voir. Le début n'est pas mal ; une vitesse, une énergie vulgaire (vulgaire, mais énergique) ; ça ne dure que quatorze pages, le temps du premier chapitre, après quoi ça s'embourbe dans les dialogues les plus nuls. Il n'y a personne pour dire à ce paresseux que, s'il a si peu que ce soit de talent, c'est dans les descriptions. Elles sont méprisantes et ne révèlent pas une âme admirative, mais c'est déjà ça. Deux exemples dans les cinquante pages que j'ai lues : « Le prince *[saoudien]* consulta le petit tas d'or et de diamants qui lui servait de montre » et, entre deux répliques : « Un ange passa et s'enfuit, épouvanté. » L'auteur est tellement consciencieux que, écrit page 42, on le retrouve tel quel page 47. Pour le reste, l'esprit de sérieux le plus total, qui perd ces livres encore plus que les autres. Je prends un Balzac acheté pour un voyage il y a un an ou deux et que je n'avais emporté dans aucun. Et voilà aussitôt vingt gribouillages dans les marges et sur la page de garde. Il n'y a que les grands livres qui soient amusants.

Lire les classiques

On confond volontiers « classique » et « pantoufle ».
Loin d'être des pantouflards, les classiques sont des
révolutionnaires. Regardez Malherbe et Boileau, les
grands théoriciens-praticiens du classicisme au XVIe et
au XVIIe siècle : ils passent leur temps à détruire ce qui
les a précédés. Le crime ? Le non-alignement. Les
classiques sont des maniaques que l'irrégularité irrite.
Voilà pourquoi ils deviennent réactionnaires : *la vie* est
irrégulière. Ils veulent que tout soit comme la rue de
Rivoli, une succession d'arcades régulières, ou comme
l'Acropole. Or, rien ne ressemble à l'Acropole, sinon
l'Acropole. La vie est par nature baroque. Louis XIV,
grand classique, fait détruire la place Vendôme pour
en construire une autre. Plus belle. C'est une raison
contre le conservatisme. On reste étonné qu'il n'ait
pas fait détruire la partie de Versailles construite par
son père. C'était son père. Une succession régulière.

Classique. La primogéniture, cette rue de Rivoli du sang. Le poète anglais T.E. Hulme (1883-1917, il a été tué par un éclat d'obus sur le front des Flandres) disait : tous les dix ans, on devrait détruire un musée. Hulme était un néo-classique de droite, premier moulage de ce que deviendrait T.S. Eliot quelques années plus tard. Patrick McGuinness, qui en a fait une édition, me raconte que Hulme, subissant la remontrance d'un policier parce qu'il pissait contre un mur, répond : « Vous rendez-vous compte que vous parlez à un membre de la classe moyenne ? » C'était un mot d'esprit, mais Hulme éprouvait *aussi* une authentique fierté à appartenir à cette classe honnie en Angleterre, dont c'est le colossal problème. Patrick : « En bon policier anglais, celui-ci a dû répondre : "Sorry, Sir." » Les baroques, désordonnés et préservant le désordre, sont plus conservateurs que les classiques. Disons plus modérés, car conservateurs c'est impossible, ils sont trop pour le mouvement, ils sont le mouvement même. Le baroque, c'est du vent. Dans le bon sens du terme. Du vent figé en marbre. Les baroques réussissent à arrêter le vent.

Lire autre chose que ce qui est écrit

Certains lecteurs lisent pour donner raison à leurs préjugés. S'ils ne trouvent pas de quoi les satisfaire, ils l'inventent. Le nombre de gens que j'ai pu rencontrer qui se sont exclamés : « Voilà un homme qui n'hésite pas à détester Stendhal, bravo ! » ou : « Ce que vous mettez à Proust, un bonheur ! » Je réponds aux premiers : « Je ne critique que sa manie politique *au début* de certains de ses livres, pour le reste j'ai écrit que j'en suis amoureux, que la Sanseverina est un de mes personnages préférés, que... », mais ils froncent les sourcils pour fermer les murailles de leur petit trésor de détestation. Aux seconds, comme, hier, dans une rue de Strasbourg, je dis : « Mais enfin, c'est un éloge insensé que j'ai fait de lui dans tous mes livres, et si j'étais vous je me soupçonnerais plutôt d'être gâteux. » « Ah bon ? m'a répondu le rondouillard déçu mais inconvaincu. Je n'ai jamais pu le lire. » Ces lecteurs confondent leurs lectures et leurs désirs. Vous avez beau leur dire que, non, vous n'avez pas voulu dire telle chose, mieux, vous ne l'avez pas dite, ils ne vous croient pas. Ils ont lu autre chose.

Le narcissisme de certains autres est tel qu'ils croient qu'on parle d'eux alors qu'il n'en est pas question. Une romancière me raconte qu'un confrère vient de lui téléphoner : « Tu aurais pu me dire que tu parlerais de moi dans ton livre ! » Elle : « Toi ? Dans mon livre ? » Lui : « Tu penses si je ne me suis pas reconnu ! Le personnage de X... ! » Ce personnage n'a rien à voir avec lui. Il est gros, notre confrère est maigre. Il est gay, notre confrère, hétéro. Il est... *Précisément*, répond le narcissique. Ce n'est pas moi, donc c'est moi. Tu as voulu me grimer. Le narcissisme est encore plus frappant quand les lecteurs sont persuadés qu'on parle d'eux alors qu'on ne les connaît pas. Dit-on du bien d'un personnage d'ébéniste, l'ébéniste narcissique se sentira personnellement flatté ; décrit-on une femme grosse, si une lectrice narcissique croit l'être, elle nous haïra pour la vie. Une amie conservatrice, qui a co-dirigé l'exposition Courbet à Orsay en 2007, reçoit un coup de téléphone : « Merci, madame, d'avoir évoqué l'enfant caché de Courbet. J'en suis le descendant. » Inquiète, elle vérifie. Nulle part il n'est question d'enfant caché. La famille de cet homme, vivotant dans une obscurité qui la fâchait, s'était inventé un roman selon lequel elle descendait du peintre et se persuadait à chaque occasion qu'elle en lisait des preuves. Ces gens-là ne lisent que ce qu'ils veulent lire. Cela procède sans doute du mouvement qui leur fait inventer ce qu'ils veulent croire. Je donne des interviews à Metz. L'émission de X..., j'ai décliné. Coup de téléphone : « Charles, où es-tu ? Tu n'étais pas à l'émission de X... tout à l'heure, on m'a dit que tu avais quitté Metz et que tu étais parti pour New York ! » Invention qui correspondait à une idée que cette personne se fait de moi. Je me trouvais entre les rideaux fleuris de ma chambre d'hôtel à regarder la cathédrale, dont le rez-de-chaussée est lui aussi une fiction. Le soubassement néo-classique et très beau (il en reste une partie), qui devait faire l'effet d'un chaton de bague d'où jaillissait la flèche, a été abattu par les Prussiens. Ils l'ont remplacé par un rez-de-chaussée néo-gothique, y ajoutant même un prophète à tête de Guillaume II. C'est le saint protecteur des lecteurs qui ne lisent que pour eux.

Tout « moi » d'auteur a une séduction sur ces lecteurs. Un moi, c'est le mien. Le premier illusionné est l'écrivain. Rien ne ressemble plus à un moi qu'un autre moi. Ce n'est pas le moi qui fait la personnalité littéraire, mais le talent. Et ce talent n'est pas de l'« art », mais un mélange de bien des choses. L'« art », le moi, l'émotion, la ruse, les autres moi qui font concurrence au moi premier, vaniteux, machiste et geignard, ou bien gai, envahissant et roublard, les esquives, enfin un minestrone sans recette que tous les Michelin de rhétorique, d'analyse, de statistique et de je ne sais quoi d'autre ne pourraient réduire à ses ingrédients, car il y a, parfois, le moment de l'esprit qui effleure nos lourds travaux, la grâce.

Lire pour rajeunir

Ça rajeunit, de lire les livres de mémoires, en particulier les mémoires politiques. On a vécu ce temps-là. On le redécouvre avec délice et stupéfaction. Ce que le pouvoir avait caché est révélé. Ça alors ! C'était pire que je n'avais voulu le croire ! En revanche, pour les générations suivantes, c'est mort. Elles aiment réitérer nos sottises. Pas question de lire des livres où l'on verrait comment les nôtres ont été faites. Et puis ceux-ci sont refroidis. N'ayant pas de talent, ils ne vivent que par notre curiosité, notre nostalgie, ce qui nous reste de chaleur politique. Seul le talent littéraire perpétue l'intérêt d'un livre pour les autres que les spécialistes.

Lire pour changer le temps

Dans un roman, les propositions temporelles créent de l'ennui. « Il chercha pendant des heures… » Et le lecteur les passe. « Il chercha » suffit bien souvent. « Pendant des heures » convient si on veut donner une impression de quasi-éternité. Le temps écrit semble beaucoup plus long que le temps vécu.

Une ponctuation mal posée, une répétition inutile, et l'esprit s'en va vers les nuages. C'est fou ce qu'il faut comme art pour maintenir l'attention du lecteur. Il y a tellement plus intéressant, comme un papillon qui passe. Il n'y a qu'à être ce papillon. Ou un éléphant. Enfin, quelque chose d'autre qu'un soi-disant danseur qui fait des *figures* et qui, perclus de crampes, est allongé par terre sur le flanc, remuant les pattes comme un insecte. Voilà ce que c'est qu'un styliste. Ah, c'est assez beau, aussi.

Avantage de la ponctuation maigre. La ponctuation est une explication. Non seulement les deux points, mais la virgule elle-même, et les explications me paraissent aussi inutiles qu'irritantes ; ou bien le lecteur comprend tout seul, et avec davantage de plaisir, ou bien il ne comprend pas, et c'est que l'auteur et lui n'étaient pas faits l'un pour l'autre.

Lorsqu'on lit, on tue le temps. Pas dans le sens « passer le temps », ça c'est quand on lit en bâillant pour vaguement occuper un après-midi à la campagne, non, mais quand on fait une lecture sérieuse, une lecture où on est absorbé par le livre. Elle donne l'impression que le temps n'existe plus. On a même, confusément, une sensation d'éternité. Voilà pourquoi les lecteurs sortant de leur livre ont un air de plongeur sous-marin, l'œil opaque et le souffle lent. Il leur faut un moment pour revenir au temps pratique. Et voilà pourquoi les grands lecteurs ont le sentiment d'être toujours jeunes. Ils n'ont pas été usés de la même façon par un *emploi du temps*, c'est-à-dire un temps employé à autre chose qu'à obéir au temps commun. Même à cent ans, ils meurent jeunes. Chaque nouvelle lecture a été une plongée dans un bain frais, un moment où on a, pas tout à fait illusoirement, vaincu le temps.

Lire pour ne pas lire
(les biographies)

Un critique me disait de Remy de Gourmont (1858-1915) : « C'est un auteur obscur. » L'obscurité est relative. Il est plus connu que ce critique, par exemple. Si c'est d'après le grand public qu'on juge, il peut être ignare à un point charmant. Quelqu'un qui en fait partie (un important, mais le grand public n'a rien à voir avec la position sociale, le grand public, ce sont les gens qui lisent moins de cinq livres par an) m'a dit le plus naïvement du monde : « Ah bon ? Proust était homosexuel ? » C'est peut-être pour cela que les gens lisent des biographies : pour ne pas lire les livres.

Je lis celle d'un très bon écrivain anglais, faite de phrases plus épaisses les unes que les autres. C'est le destin de gens qui écrivent bien d'avoir leur vie racontée par des gens qui écrivent mal. Ça les fait rentrer dans l'ordre.

Et c'est aussi pourquoi les Anglais, si inquiets de l'art et de la littérature, raffolent des biographies. Elles ont l'air d'*expliquer*.

Ou pour se dire que les écrivains sont comme tout le monde. Ou pour essayer de découvrir le mystère de la création, ce à quoi ces livres ne suffisent jamais. Le moment de grâce qui s'est produit lorsqu'un artiste a réussi son œuvre ne peut pas plus être capté par une biographie que notre esprit n'apparaît sur une radiographie. D'une certaine façon, les biographies sont des cache-mystère.

Lire en dépit de l'écrivain

Je n'ai longtemps eu aucune idée de Jacques Lacan. Si l'on excepte ses admirateurs qui avaient fini par former une secte, et on ne peut rien déduire de ces gens-là, sinon leur naïveté, les uns le traitaient de charlatan, les autres de poète précieux – le maximum de défense intelligente qu'ils arrivaient à faire de lui, sous-entendant que la poésie, c'est des foutaises. Je trouverais très bien qu'il soit un poète précieux, il y en a de très grands, et d'ailleurs je ne le lis que pour la littérature que je peux trouver en lui, ne connaissant rien à la psychanalyse. Chercher de la littérature où on ne penserait pas en trouver est un bon motif de lecture. Elle ne serait qu'un voyage avec un guide gastronomique, sans ça. « Tanizaki. Mérite le détour. Dante. Chef-d'œuvre assuré. » Cela porte un nom, Lagarde et Michard. J'imagine que tout pays a son manuel de littérature honorable et fastidieux, démoralisant la jeunesse par l'idée de ce que le génie est nécessairement moral. Un chef-d'œuvre ? Quelle barbe !

Le premier livre que j'ai acheté de Lacan m'a déçu, il est lisible. *De la psychose paranoïaque dans ses rapports avec la personnalité* était sa thèse en psychiatrie. Personne n'a jamais écrit de thèse qui lui ressemble. (– Blât. – Eh ? – Ressemblât. – Blât ? Oh !) La thèse est faite pour ressembler au préjugé que l'Université réclame. Nous nous flattons d'avoir chassé les temps stupides où la Sorbonne pourchassait tout penseur qui ne respectait pas son interprétation d'Aristote, nous y sommes encore, autrement. L'Université française va de dogme en dogme, n'ayant pour constante que sa haine des écrivains, les excluant de ses travaux, ne parlant que d'elle-même et à elle-même, chafouine et savourant sa chafouinerie. Son comportement s'explique par la jalousie. Des professeurs qui ne savent pas travailler, ne rendent jamais un manuscrit à temps ni de la longueur promise (mais sachant faire travailler leurs étudiants, qu'ils volent), envient les écrivains qui, se tuant de travail, se donnent l'air de ne rien faire et sont loués dans les journaux. Les mites voudraient le destin des aigles. Et finalement je n'ai pas été déçu, c'est mon préjugé qui l'a été ; pour moi, je suis content. J'ai lu ce livre de Lacan avec intérêt, et l'impression de me compléter un peu.

Et c'est malgré lui que j'en ai lu d'autres, quoiqu'il m'accable de son gros défaut d'ostentation de lui-même, dans, mettons, *Mon enseignement*. « Personne avant moi n'avait jamais remarqué [...] » La forfanterie n'empêche pas de dire des choses passionnantes, si elle empêche parfois de les écouter. Je ne quitte pas la littérature en parlant de Lacan, qui rêvait d'en faire, lui qui pense que les psychanalystes sont des poètes – c'est-à-dire que la littérature est pour lui un idéal. C'est assez une spécialité française, cette idéalisation de la littérature par les savants. Et de là ces philosophes écrivant bien qu'on nous reproche régulièrement à l'étranger. Dans la spécialisation par pays que crée la mondialisation, nous avons droit aux robes bien coupées, pas aux livres. Les films où l'on montre des gens lisant et les romans qui passent pour cérébraux (comme si « cérébral » était une injure, et que nous n'eussions pas de cerveau) sont également conspués. Mon pays a bien des défauts, ceux-ci m'enchantent. Ils empêchent que la littérature soit considérée comme une spécialité, et qu'il faille un diplôme pour la faire, pire, pour la lire. La France est le pays le plus démocratique du monde, qui met la phrase Chanel à la portée de tous, y compris des vieux profs.

Avec humour, il en a beaucoup, et c'est peut-être cela qui a exaspéré ses ennemis, qu'il « réussisse » en riant, Lacan dit qu'il est « un type dans le genre de

Ponce Pilate ». Je serais plutôt un type dans le genre La Fontaine. La Fontaine allait par les couloirs de Versailles en demandant à chacun, sans avoir pensé à saluer : « Avez-vous lu Baruch ? Avez-vous lu Baruch ? Je suis en train de lire les Prophètes, savez-vous que c'est extraordinaire ? Ah, Baruch ! Bonjour, cher ami. Avez-vous lu Baruch ? » Cela devint en un instant l'anecdote de la cour, et la cour, ça a tellement été quelque chose, en France, que, trois siècles plus tard, je me rappelle la scène. Bon, c'était La Fontaine, aussi. Les bons écrivains sont des crochets à mémoire. À cause de leur talent. On dit souvent n'importe quoi sur les écrivains connus, mais ce n'est pas n'importe quel n'importe quoi ; un n'importe quoi qui corresponde au rêve qu'on se fait d'eux. Sont-ils si différents, ces écriveurs qui sont lus, lorsqu'ils lisent ? Un écrivain est d'abord un lecteur, et, m'enthousiasmant à la première lecture de qui a du talent, genre La Fontaine, je vais par les couloirs de Paris en demandant « Avez-vous lu Lacan ? ». Quelle question ! À Paris, les gens ont tout lu, bien sûr.

Si je le connaissais mal, c'est que je le connaissais bien. Sa célébrité me cachait ses livres. On a tant de choses à lire qu'on finit par croire la simplification que la célébrité représente ; et qui n'est pas une simplification, mais une réduction à l'élément le plus pittoresque ; et donc le moins caractéristique. L'écrivain qui se cache ne cache pas moins ses livres.

Il remplace le pittoresque par du mensonge. Nous sommes piégés par les lecteurs qui ne lisent pas.

Lacan était comme ci, comme ça, tyrannique ou je ne sais quoi, La Fontaine, un monstre d'hédonisme qui se cachait derrière sa distraction. Peut-être. Les livres d'un bon écrivain sont mieux que lui. C'est même à cela qu'on le reconnaît. Parmi tous les moi qui se bousculent pour écrire un livre, il y en a un de très secret, de très intime, de très dur, qui empêche les autres de céder à des pentes faciles. Le moins bon écrivain, lui, est toujours mieux que ses livres, plus charmant, plus intelligent, plus génial dans la vie. Enfin ! la vie n'est pas aussi commutative, et il y a de bons écrivains délicieux comme hommes. C'est grâce à son illogisme que la vie est bien. Elle est alors mieux faite que les romans, cette tentative de rationalisation qui se présente comme un « miroir » de la vie. Un miroir peint, alors. L'idée du réalisme me fait rire. Et la confiance que bien des lecteurs ont en lui. Un genre d'écrivains que j'aime, les voltairiens romantiques, est le seul à oser leur dire : ne nous *croyez* pas. La littérature vaut mieux que la croyance.

D.H. Lawrence : « Chaque homme a un moi de meute et un moi individuel, dans des proportions variables » (*Pornography and Obscenity*). Ah la belle expression. « Un moi de meute » (*« a mob self »*). Le bon lecteur comme le bon écrivain chasse le moi de meute, pour se transporter ailleurs, il ne sait où. Les auteurs démagogiques et les lecteurs sournois laissent leur moi de meute au premier rang.

En tant que lecteurs, nous sommes meilleurs lisant. Élevés.

Lire les rides

On ne passe pas de

à

sans qu'il y ait honte, douleur, souffrance. On ne passe pas de

à

par le simple effet de la vieillesse. Il y faut l'amertume et la méchanceté. Les visages sont les seuls livres réalistes.

Lire ailleurs que dans les livres

Si l'on peut dire qu'on lit un corps, on le dirait plus difficilement d'un paysage. Un corps est une manière d'œuvre d'art. On le maquille, on l'apprête et en tout cas, au-delà d'un certain âge, notre personnalité sortant de nous le remodèle. Étant très peu « naturels », car l'homme a beaucoup cultivé depuis des millions d'années, les paysages ne sont néanmoins pas des créations ; je dirais qu'au mieux ils accèdent à l'état de signes. Un arbre sans feuilles dans un champ de neige est un idéogramme. J'aime les paysages qui se rapprochent de cet état, et voilà une des raisons de mon horreur de la campagne et de mon amour des plages. Sur une plage, pas d'herbe, de terre, de possibilité de mou. Les lignes sont droites, les matières sèches, les lumières franches. La plage, la mer, le ciel. Trois tranches de couleurs. C'est un Rothko. Et ne me poussez pas à parler des piscines, je l'ai trop fait, et du génie inconnu qui a eu l'idée de découper des rectangles de terre pour y mettre un bleu qui n'existait pas dans la nature, en faisant des Yves Klein. On lit moins les paysages qu'on ne les déduit.

À la fondation Cini de Venise, l'exposition Sebastiano Ricci de 2010 était destinée à montrer que des dessins préparatoires peuvent être meilleurs que des tableaux. En italien on dit *bozzetto*, quoique ce pays soit si avancé dans les arts qu'il y existe treize autres mots pour la chose :

abbozzamento
abbozzatto
abbozzo
abbozzo grande
buzza
macchia
modellatto
modello
pensiero
piccolo modello
sbozzetto
sbozzo
schizzo.

Rustres, rustres, nous sommes des rustres. Et le lecteur italien, plus avancé dans ce domaine que celui de tout autre pays... Un ministre de la Plume, comme il en existait dans l'empire d'Éthiopie sous Haïlé Sélassié, devrait importer par avions-cargos entiers des containers remplis des mots qui nous manquent. On se débrouillerait, maladroits comme des bébés avec un hochet qu'ils laissent tomber, puis de plus en plus avisés. Que l'esquisse soit meilleure que le tableau, on pourrait dire que c'est une fantaisie d'historien d'art rassasié de musées qui le décide pour *se* rafraîchir, de même que les critiques dramatiques à leur centième Racine sont titillés par une *Andromaque* nue, mais l'idée est prouvée par l'exemple dans cette exposition. Pour Ricci, c'est le critique d'art Rodolfo Pallucchini (1908-1989) qui l'a eue ; Roberto Longhi (1890-1970) l'avait dit pour Tiepolo. « Il est évident que même si Tiepolo ne nous avait laissé que les études de ses tableaux, ses délicieuses esquisses, nous le placerions sans hésiter parmi les peintres majeurs du XVIIe siècle. » Ces bozzetti de Ricci, puisque bozzetti il y a, on dirait du Fragonard. Ce qui montre le génie de Fragonard, qui a osé faire des tableaux de genre esquisse et, surtout, les a réussis. Allez, on peint comme ça, rien de calculé (sauf qu'on veut du non-calculé), mieux vaut une imperfection qu'une raideur. Ricci, envoyant à un comte bergamasque un petit format à la va-vite d'une *Âmes du purgatoire* dont il lui avait passé commande pour une église, écrit : « Sachez que ce pétiole est l'original et le retable, une copie » (lettre du 1er août 1731). Combien une exposition de peinture peut nous apprendre à lire, en nous rappelant que, en littérature aussi, en travaillant, on peut ajouter de l'apprêt !

Lire en avion

J'ai un rapport bizarre avec ces machines. Je n'aime pas les prendre, mais j'aime bien les avoir pris. Les avions, ça a beaucoup changé. Il y a longtemps qu'ils ont cessé d'être romanesques. Quand j'étais petit, on les trouvait beaux, rares, enthousiasmants. Je cherchais les livres qui en parlaient. C'est ainsi que mon Tintin préféré est *Vol 714 pour Sydney*, où l'on voit le jet privé du méchant Laszlo Carreidas atterrir sur une piste de fortune. J'aimais aussi le début du *Dernier Nabab*, le roman de Scott Fitzgerald, qui commence par un trajet tourmenté en avion vers la Californie. Il n'y avait même pas besoin de livres. Les noms des compagnies étaient poétiques en soi. Air France, UTA, BOAC, TWA, Pan Am. Pan Am ! À New York, il y avait la tour Pan Am, plantée derrière la gare centrale, avec son célèbre logo tout en haut, et cela symbolisait les temps allègres de l'aviation commerciale. Depuis qu'elle est devenue la propriété de quelque chose d'aussi joyeux qu'une compagnie d'assurances, plus personne ne lève les yeux avec plaisir vers la tour MetLife, on éprouve même une sorte de honte à lire ces mots, comme, j'imagine, on avait honte de lire les mots allemands sur les panneaux de Paris occupé pendant la Deuxième Guerre mondiale – et on ne les regardait pas.

À quoi servent les avions ? Eh bien, à nous transporter, dans les deux sens du terme. Le sens positif, d'abord : ils nous amènent d'un endroit à un autre ; le sens métaphorique, ensuite, comme dans l'expression « les transports amoureux ». Les avions servent à faire rêver. Ils nous font sortir de nos pays, de nos habitudes, et donc, si possible, de nous-mêmes.

Je parle d'une époque d'optimisme. Elle est bien finie. Les grincheux ont gagné, et les avions sont devenus un système de transport de masse. Ce sont des mouches. Grosses, nombreuses, encombrant le ciel. Aussi communs que des autobus, comme en témoigne le nom déprimant d'« Airbus ». Pire encore, les avions sont devenus des armes. Nous le savons depuis qu'on en a jeté deux contre les tours du World Trade Center un certain 11 septembre 2001. Et c'est à cause de ces attentats que prendre l'avion, chose naguère toute simple, est devenu une corvée. Rappelez-vous, c'était avant-hier. On arrivait à l'aéroport une demi-heure avant le départ, on donnait son nom à la jeune femme au guichet, elle imprimait votre carte d'embarquement, une heure après, on était à Nice. Tout au plus, si on allait à l'étranger, on montrait son passeport. Maintenant, il faut arriver quatre heures avant. Montrer une carte d'identité même si on voyage à l'intérieur de son propre pays. Faire la queue pour jeter son quart d'eau minérale, car elle pourrait être dangereuse pour les pilotes, qui ne fonctionnent qu'au whisky. Qu'est-ce que je raconte ? Eux aussi ont dû se mettre à l'eau et arrêter de draguer les hôtesses. Sécurité et Vertu sont les deux jambes sur lesquelles marche le monde contemporain. Et nous enlevons nos ceintures, nos souliers, pour passer à demi nus sous un arceau de sécurité, humiliés comme des prisonniers d'Abou Graïb, et nous entrons dans des avions où, peu de gens le savent, il y a désormais, tout au fond, à un siège de couloir, pour avoir une vue sur toute la cabine, un policier en civil et armé. Avec le transport aérien, quelle que soit la destination, on va vers le Far West.

La beauté des avions à l'extérieur est proportionnelle à leur ennui à l'intérieur. Surtout les voyages en long-courrier. Et les dieux savent si c'est long, les long-courriers. Ils me rappellent ce que disait Billy Wilder, le metteur en scène de *Certains l'aiment chaud* : « Hier soir, je suis allé voir *Les Maîtres chanteurs de Nuremberg*. Ça commençait à huit heures. Trois heures après, j'ai regardé ma montre : il était huit heures et quart. »

Que reste-t-il à faire ? Lire, et par exemple, sur les petits écrans de dossier, les cartes de géographie où l'on montre le trajet du gros appareil au-dessus des petits continents, avec les mentions : « distance parcourue » ; « temps de vol restant » ; « température extérieure » ; « heure estimée d'arrivée ». Un poème. Monotone, et assorti à l'avion. L'ayant rejeté dans notre esprit, on passe aux magazines de bord, composés à 90 % de publi-rédactionnels à peine camouflés, et à des magazines qu'on ne lit jamais à terre, la presse financière anglo-saxonne. Hier, *The Economist* titrait : « Comment rendre la Chine encore plus riche. » Pas plus heureuse ou plus belle, non, non, plus riche. Et dans le *Financial Times*, on trouvait le supplément du dimanche le plus impudent du monde, *« How to Spend It »*, « Comment le dépenser ». Sous-entendu : l'argent. Sous-entendu encore : nous qui en possédons énormément. Et on recommande des téléphones portables à 15 000 euros ou des montres en or à 100 000. L'idéal de Paris Hilton. Qui ne doit pas lire beaucoup de livres.

Un de mes amis écrivains, qui a peur en avion, a une méthode : il emporte un livre, un seul, difficile à lire et qui nécessite une forte réflexion, de manière à occuper son esprit et à l'éloigner de la peur. Ce livre, c'est la *Critique de la raison pratique* de Kant. Soigner la peur par l'ennui est un traitement auquel les psychiatres ne pensent pas assez. Pour moi, je ne suis pas particulièrement rassuré en avion, mais je dois aimer ne pas l'être, car je me munis généralement de livres qui ne nécessitent pas une attention suivie. Hier, c'étaient les *Promenades dans Rome* de Stendhal, qui se présentent comme un journal intime. Et, pas très loin au-dessus de Rome, j'ai rencontré cette phrase écrite en 1829 où il définit la civilisation du travail : « Dès son entrée dans la vie, le jeune homme, au lieu de lire les poètes ou d'écouter la musique de Mozart, entend la voix de la triste expérience qui lui dit : "Travaille dix-huit heures par jour, ou après-demain tu expireras de faim dans la rue !" » Travail n'est d'ailleurs pas le bon mot, car il peut aussi désigner ce que je fais, ou d'autres gens qui ont de beaux métiers, peintre, jardinier. On a injurié le travail en appelant « civilisation du travail » le système affreux qui régit le monde moderne, ce salariat universel qui semble une forme adoucie de l'esclavage. On aurait dû appeler ça la civilisation du labeur. Dans l'avion, on est assis en permanence, de grandes dames blondes se penchent sur nous en souriant doucement, nous donnent à boire et nous nourrissent. En avion, nous sommes des bébés dans leur poussette rassurés par leur mère. La lecture idéale doit y être des contes pour enfants, et donc pas la littérature, qui n'est pas rassurante.

Lire à la plage

Je l'ai emporté à la plage, cet écrivain que j'adore, en laissant un autre que je ne fais qu'admirer. Chaque fois que je rouvre Stendhal, je trépigne de plaisir, je souris d'amusement, j'ai envie de l'embrasser. Chaque fois que je rouvre Flaubert, l'épais bitume de son nihilisme me tombe sur les épaules. Sa grande probité, bien sûr. Oui, oui. Il y a des livres qu'on aime sans aimer leurs auteurs, et des livres qu'on aime en étant amoureux de leur auteur. On s'est senti des points communs de sensibilité avec lui, qui a été sincère et sans posture. Et voilà pourquoi des écrivains comme Stendhal ont provoqué, de manière posthume, des recherches frénétiques sur leur vie la plus biographique. On avait envie de trouver des raisons supplémentaires à l'amour. Sur d'autres, les recherches sont plutôt d'ironie. Je parle des insincères et des poseurs, ce qui n'empêche pas le talent. Chateaubriand est admirable, mais si vain que, dans sa vie, j'ai plutôt envie de trouver des motifs à faire tomber ses décorations.

De Stendhal, je lis le passage qui commence : « Celle de nos compagnes de voyage qui comprend Mozart me disait ce soir... ». Je l'adore. Quelle délicatesse, une phrase pareille. Un peu ivre, je dépose un baiser sur la couverture des *Promenades dans Rome*. Être légèrement alcoolisé sur une plage d'Amérique du Sud où, vers 17 h, on s'est fait servir une caïpiroska glacée, n'est pas une chose insupportable. De plus, j'aimais bien l'idée d'avoir snobé le plus bel archipel du monde en n'allant pas à Los Roques. Se lever à 5 heures du matin pour prendre un petit avion et aller se baigner sur ce qui passe pour une des plus belles plages du monde ? Plutôt brûler les 1690 bolivars payés d'avance et au change officiel, 2,15 $! Je mourrai à sec, dans tous les sens de l'expression. Je l'adore. Je l'adore, il m'agace. Il m'agace, je l'adore. Les gens ne comprennent pas cela. Ils veulent qu'on soit à genoux devant ce qu'on aime, par amour principal du mensonge. L'agaçant chez lui est sa partialité politique, quand il vante le mauvais romancier Pigault-Lebrun parce qu'il est de gauche, par exemple, alors que, sans cela, il rirait de ses phrases nulles, mais à la fin cela devient un élément de sa personnalité au même titre que son mètre soixante-dix. Il mesurait un mètre soixante-dix, je crois. Il avait une tête de boîte. Non, de pomme.

Était gai avec une pointe d'acidité. Les livres gais ne sont pas les plus nombreux du monde. C'est pour cela que nous devrions les vénérer comme des trésors universels. Que de plaintes, d'amertume et de récriminations, me disais-je avant de partir dans la librairie où je passais devant les noms de bons écrivains, bons mais déprimants, et toujours à se plaindre de ceci ou à aboyer contre cela ! Comme souvent dans ces cas-là, je suis allé chercher de l'air à la lettre S du rayon « classiques ». Nous devons beaucoup à Stendhal.

Ah, ses raccourcis ! Quelle intelligence polie ! Il ne me rabaisse pas à m'expliquer ! Et cette façon qui n'est qu'à lui d'apparier les mots... « Il n'avait point cette gaieté qui fait peur, qui est devenue mon lot. » Cette gaieté qui fait peur... C'est à propos de son oncle Gagnon... Tiens, j'ai taché la marge de crème à bronzer. Je vais dessiner un contour à cette flaque ivoire, elle aura l'air de l'île en face. Et ainsi, sans le vouloir, puis en m'arrangeant pour l'avoir voulu, cette tache sera un écho de ma lecture. Lire nous abstrait de la vie, on me le reproche assez, mais peut nous la faire trouver étonnante. On relève la tête de son livre et, tout étonné, on se retrouve dans le présent. Sur une plage du Venezuela. Un marchand d'huîtres passe en criant sa marchandise qu'il transporte dans un seau en plastique bleu. Il en renouvelle l'eau en s'agenouillant au bord, non loin d'un petit garçon qui avance vers la mer avec des précautions de chat, tandis qu'un autre y court avec des bonds de sauteur en longueur. Tiens ? La vie. Elle a l'air sympathique, de loin. Revenons vers le sens. Je n'ai pas pris la précaution de m'en ébrouer, et la plongée dans l'encre me laisse un instant suffoqué. Il me faut quelques brasses pour m'y faire. Encore un passage qui me fait répéter : « Je l'adore ! » Il se moque des papes qui « commencèrent à redouter les scandales causés par les cardinaux, et n'appelèrent en général au Sacré Collège que des imbéciles de haute naissance ». Et il commente : « Tout est changé pour le mieux maintenant. » Dans sa préface à *Lucien Leuwen*, Paul Valéry dit de lui qu'il était « déchaîné contre le respectable ». Voilà pourquoi on en raffole. (De Valéry aussi, qui a glissé dans son texte une incidente où il fait exprès d'employer un archaïsme que le lecteur à demi cultivé prendra pour une faute de français. Une phrase de mandarin. Une phrase *entre nous*. Et cette phrase toute simple, c'est : « Malgré tant d'esprit qu'il avait. » C'est à ces petites choses qu'on reconnaît l'écrivain fin.) On a retrouvé une annotation de Stendhal dans l'exemplaire dit « Serge André » des *Promenades dans Rome*, me dit une note qui m'a tapé sur l'épaule : « Prudence. » Il croyait être prudent ! Et cette maladresse (cette passion) le rend touchant. Plus les chefs-d'œuvre, bien sûr ; mais dans un écrivain qu'on aime, on aime tout, jusqu'à ses factures de teinturerie.

Lire dans les ~~lucioles~~ librairies

Les gens qui ne lisent pas ignorent l'exaltation que l'on peut ressentir dans une librairie. Ils n'ont pas idée qu'un commerce aussi calme, où vendeurs et acheteurs sont chacun de leur côté, puisse être autre chose qu'ennuyeux. Tant mieux, ils ne se rendent pas compte que c'est un endroit très dangereux pour l'opinion qu'ils se font de leur importance. Dans les librairies, on comprend que les rois de jadis aient eu les plus grandes hésitations à autoriser l'imprimerie. Des gens qui, seuls avec un autre, pensent sans contrôle ! Ces clients qui ont l'air si calmes, si recueillis, des girafes broutant lentement des feuilles, sont des boules de passion à l'intérieur desquelles ça bout, ça bondit, ça bande.

Une librairie m'a sauvé la vie. On croit que la lumière vient d'en haut : en descendant vers les rayons de littérature chez Castela, alors la meilleure librairie de Toulouse, je descendais vers le soleil. Tous ces livres tranquilles comme un troupeau, tout ce talent pour 10 francs l'un ! Talent, que dis-je ? Le paradis à chaque fois ou presque. Je ne finirais jamais de l'explorer tout entier, d'y être admis. J'avais trouvé le Royaume. Et, au lieu d'aller en cours de droit civil, je batifolais comme un page amoureux sous les fenêtres de sa belle. Non sans assommer la libraire, elle se prénommait Régine, je m'en souviens, bonjour Régine, si vous me lisez, je vous ai adorée. Vous avez eu bien de la patience avec le tout jeune homme que j'étais. C'est de ma passion que je vous assommais. Les lectures que j'avais faites, et ceci, et cela, et vous répondiez, gentiment, et moi je reprenais mes prêches, mes contestations, mes questions. Me charriant enfin vers la fac, ce n'était pas sans un livre que je lirais sur mes genoux, comme quelques années auparavant à la messe, comme quelques années plus tard quand je devrais travailler dans une entreprise et suivre une messe encore plus stupide que d'ailleurs on appellerait séminaire. Dans tous les endroits sérieux de ma vie, j'ai fait plus sérieux : lire.

À Paris, rien ne m'a plus flatté que la première fois où j'ai eu un livre dans la vitrine de la Hune. C'est la Légion d'honneur de Saint-Germain-des-Prés. *Idem*, comme dirait François Villon, ma première lecture aux Cahiers de Colette, chez Colette Kerber, rue

Rambuteau. *Idem*... mais je ne suis pas en tournée électorale, et je n'en finirais pas de mentionner toutes les bonnes librairies qui font que Paris reste une ville fréquentable. Une ville où il y a tant de librairies, et donc tant de lecteurs, n'est pas une ville que l'on doive fuir tout de suite.

J'entre dans les librairies de tout pays où je me trouve même si je n'en parle pas la langue. Elles donnent une indication de l'état intellectuel, émotionnel, esthétique du lieu. Indication minoritaire, mais les minorités l'emportent souvent, soit qu'elles gouvernent, les gouvernements démocratiques convenables étant en partie des directions malgré les peuples, soit qu'elles contestent, ces gouvernements devant se méfier du fumet attirant de l'opposition. On y sent aussi, à la façon dont sont fabriqués les livres, plus que le goût, l'attitude d'une nation envers le confort. Les livres élégants et rigoristes des Allemands, toujours un peu missels... Les hardback d'Angleterre et d'Amérique, ces canapés Chesterfield, et les paperback aussi chers que peu solides déjà prêts pour le *garage sale* où, bombés comme des accordéons, ils seront soldés 50 pence... Les librairies de dictatures sont moins nuancées. Dans celles des pays communistes d'Europe du temps de l'URSS, on sentait le plomb de l'intimidation et la sottise de l'hypocrisie grâce aux œuvres complètes de Lénine et du tyran local dans la vitrine, et, à l'intérieur, les tasses de thé croupissant des traductions d'académiciens français de la fin du XIXe siècle. C'était ce que les dictateurs avaient lu en prison du temps des régimes qu'ils avaient ensuite renversés. L'influence de l'eau tiède sur les buveurs de sang est une chose étrange.

À New York je n'ai jamais aimé Gotham, qui survit sur une réputation de clientèle de poètes et de beatniks (pour les seconds je me demande s'ils y sont vraiment allés beaucoup, ils ne lisaient que les Upanishad) et coûte bien cher pour pas grand-chose, encore qu'on m'y ait trouvé ma première *Zuleika Dobson*, le roman oxfordien de Max Beehrbom (1911). Three Lives and Company est devenue médiocre, au bord de l'Allemagne de l'Est. Moins de bons livres, moins de livres. Elle se trouve dans la seule portion compliquée de Manhattan, ces six rues du Village plus nouées que des ruelles d'Istanbul. L'Oscar Wilde Bookshop a fermé, ainsi que la librairie de University Place, et... Les librairies de New York sont comme les lucioles, s'éteignant les unes après les autres.

Il y a beaucoup de librairies à Madrid, pas gaies, mais moins tristes que celles de Rome. Molina est une librairie d'extrême droite et d'extrême désagrément, que l'on renifle dès la vitrine. «Vous croyez? De militaria, plutôt», me dit une amie naïve, que j'en fais sortir sur-le-champ.

Il y a des équivalents en déplaisant de gauche, le point commun étant le ressentiment qui se dégage des livres essentiels pour le libraire en question, bien placés même s'ils ne sont pas les plus nombreux. Même arrogance sournoise, même assurance que seul ce qu'on pense a une valeur, et, au lieu de biographies de grandes figures de la réaction et de rééditions de prétendus maudits qui étaient juste des salauds, des pamphlets altermondialistes donnant à ceux qui les achètent l'impression qu'ils sont sympa, pour le ressentiment social ce sont les *polars*, et d'autres haines se révèlent par les livres *qui n'y sont pas*.

On accuse Hergé d'être d'extrême droite à cause de *Tintin au Congo*, mais on ne lui sait pas gré d'avoir montré les complots révolutionnaires d'extrême droite dans *Le Sceptre d'Ottokar*. Il était d'extrême droite, mais il a quand même fait cela, car il était plus artiste, ou journaliste, que d'extrême droite : l'intérêt supérieur de son œuvre, de son reportage, primait ses opinions. En 2007, la chaîne de librairies Borders, l'une des plus sinistres d'Angleterre, a retiré *Tintin au Congo* de la vente de ses magasins. Acte de censure majeur accompli par des diffuseurs, pas même des producteurs, encore moins des politiciens ; n'achetons plus de livres chez Borders. Ces gens sont tellement bêtes et tellement peu libraires qu'on trouverait bien sûr Céline dans leurs rayons.

Dans Book Soup, la meilleure librairie de Los Angeles (Sunset et Larrabee) et qui ne vaut pas une bonne librairie de Brest, la gentille caissière cherche dans l'ordinateur l'auteur de *Winesburg, Ohio*, dont je ne retrouve pas le nom sur l'instant : *« Anderson... Sherwood... Is it new ? »*, est-ce nouveau ? C'est un des grands romans du XXe siècle (1919) pour lesquels les Américains ont inventé l'expression « classiques modernes ».

Il y a à Paris des libraires de quartier qui pourraient être marchands de chaussures. Dans l'une d'elles, une cliente demande un livre. « Vous dites ? fait la libraire, une forte blonde. Je vais chercher. Redites-moi ?... Je ne trouve pas. Bizarre. Je retape. O, b, i, t. Non, ça n'existe pas. Je vais chercher par auteur. Redites-moi ?... Ah ! Tolkiem. Non, y a rien. » Hésitante, la cliente ne redit pas « Tolkien », également peu sûre de l'orthographe de *Bilbo le Hobbit*, et demande un autre livre. La libraire, qui ne le connaît pas davantage que ce best-seller mondial, cherche indéfiniment sur son ordinateur. « Je vais essayer autre chose... C, r, i, s, h, t, o, n... Rien. » Je me décide à intervenir : « C'est un c. » Aussitôt ma Walkyrie se cabre, et mitraillage. « On n'est pas obligé de connaître cet auteur. Il y en a tellement, des auteurs. Avec la paperasse, etc. »

Un bon libraire, c'est simple : c'est celui qui connaît la littérature. Tim, du *Village Voice*, à Paris, qui a lu *Le Tombeau de Palinure* de Cyril Connolly (*The Unquiet Grave*, 1944), en commande cinq exemplaires à la petite maison de New York qui l'a réédité et les pose sur son comptoir. Il sait que, dans sa clientèle littéraire, cela intriguera, ou rappellera un bon souvenir, et vente. Un mauvais libraire, c'est simple, c'est l'employé d'une chaîne à qui je demande la revue *Études*. « La revue... ? » Il cherche sur l'ordinateur : c'est en Histoire. Au rayon Histoire : « La revue ?... » La vendeuse cherche sous une table et me tend la *Revue d'études palestiniennes*. Ah non mademoiselle, je ne crois pas que ce soit ça. Son ordinateur lui dit que, en fait, la chaîne ne la vend pas. Et rien. Pas le plus petit étonnement. Pour cette jeune femme, je devais demander une petite revue de peu de cas. Voilà l'horreur de l'ignorance : elle ne se rend pas compte de la gravité de son état. Le pire est que, si j'avais expliqué que c'est la revue des jésuites, qu'elle existe depuis cent cinquante ans, qu'elle a eu de l'influence, je serais passé pour un excentrique. Un des signes des temps barbares est que l'ignorance n'a plus honte.

Et voilà pourquoi, n'aimant toujours pas ce qui ne me fait pas plaisir, je reviendrai aux bonnes librairies indépendantes où, peut-être, en cet instant, un lecteur feuilletant mon livre tombe sur ces lignes. Il s'en relèvera, j'espère, et chantera avec moi, sur l'air de

« Hare Krishna », l'« Ode aux librairies de premier niveau ». Ce sont celles qui en France, au nombre de quelques centaines, et grâce à la loi sur le prix unique du livre que les autres pays, quand ils la promulguent, appellent « la loi française », empêchent la borderification du monde.

La librairie fait admettre la littérature car elle la fait entrer dans le commerce.

Lire pour poser les livres sur une table

Qui a inventé d'appeler « beaux livres » les beaux livres ? Je crois qu'on les dit beaux parce qu'ils sont chers. Le beau, notion aléatoire sinon aberrante, est utilisé pour justifier nos passions, et par exemple celle de dépenser. D'autres fois on appelle beau ce qui nous communique une excitation sexuelle. Le cerveau murmure au cœur qui s'emballe ou au portefeuille qui se vide : « C'est beau ! »

Idéalement, un beau livre est un bon livre. Le plus beau serait le mieux écrit, par le génie le plus aimable, et nos tables basses, au lieu de se faire valoir au moyen de parallélépipèdes en papier de 150 grammes au mètre carré avec des reproductions en quadrichromie, pourraient se contenter de supporter de petits volumes râpeux dont les auteurs seraient un grand écrivain. Les miennes ont un temps arboré les œuvres de Lu Xun dans les éditions du Parti communiste chinois, du temps où le Parti communiste chinois faisait semblant de croire à la littérature : papier grisâtre, encrage inégal, couvertures rudimentaires. J'aime aussi y poser telle édition rose ou jaune de la Collection des Universités de France (dite « Budé » par ceux qui la photocopient et « CUF » par ceux qui l'éditent) : bilingues, grec-français ou latin-français, avec un apparat critique plus méticuleux qu'Hercule Poirot ; les auteurs sont Euripide, Plutarque ou Ovide. Il y a quarante ans, les Belles Lettres publiaient leurs livres *sans nom de marque* : mon *Traité des injures* de Suétone ne porte que ce titre et ce nom, et cela me semble idéal, fascinant et désormais impossible. Qui ferait cela dans un monde qui réussit à vendre des T-shirts « J'adore Dior » ?

Un « beau livre » est un livre de texte avec des images. Ou le contraire. Un livre d'images malgré le texte, diraient les grincheux. Nous vivons le siècle de l'image, beuh, beuh ! C'est très bien, les images. On ne les considère qu'au sens propre mais la littérature n'est-elle pas une forme d'imagerie ? L'image est si peu considérée dans les beaux livres qu'on demande à du texte de la légitimer. Et, à la fin, l'écrit prime. On le réédite seul. C'est arrivé à Paul Morand, qui avait donné un bon *Paris* à la Bibliothèque des Arts. Son texte commentait des photographies à ciels turquoise et plates-bandes de fleurs saturées de rouge au premier plan. Le livre a été réimprimé sans les photos. Elles s'étaient révélées des illustrations. Quand il y a texte et photographie, le mieux est que la photographie ne soit pas de l'illustration, ni le texte, du commentaire. Chacun vit de son côté comme la plage et la mer.

Parfois, un éditeur s'adresse à un jeune photographe. Ses images sont placées vis-à-vis du texte d'un écrivain connu. Le photographe se révèle très bon, et devient aussi connu que l'écrivain. Quand, des années plus tard, il n'existe plus qu'une réédition du texte seul, l'album initial est très recherché : on ne trouve pas à moins de 300 euros les *Observations* de Truman Capote (1959) avec les images d'un photographe publié pour la première fois, Richard Avedon.

Les beaux livres, qui sont les livres les plus lourds, sont parfois les plus légers. Cela ne tient ni aux écrivains, ni aux photographes, ni aux peintres, qui y mettent autant de conscience que dans leurs autres livres et leurs expositions, mais aux lecteurs. Il les feuillettent plus qu'il ne les lisent. Ce n'est pas si mal. On mourrait de chocs esthétiques si, à chaque fois qu'on cesse de regarder la télévision pour se pencher sur sa table basse et ouvrir cet objet qui la décore si intelligemment, on le lisait avec sérieux.

Lire comme une fleur

Pourquoi *continuer* à lire un livre ? C'est un des effets dévastateurs de l'espoir. Si un livre est mauvais, il ne devient jamais bon.

Ce qui n'est pas comme se forcer pour accéder à un poème de Mallarmé. Dans un cas, on se force contre le livre, dans l'autre on se force contre soi, contre une habitude de lire une certaine forme de phrases. Elle a été conditionnée par les écrits courants et l'idéologie de la langue française telle qu'on l'inculque à l'école : il y aurait une seule façon de former des phrases, qui ferait de notre langue une perfection, un idéal, le monde entier voudrait ses règles. Sauf que depuis deux cents ans qu'on nous le répète le monde n'en a repris aucune. Un ami d'Oxford m'a fait remarquer que, pour défendre l'admirable logique de notre langue, construite, à l'image de la pensée, en sujet, verbe, complément, l'idéologue du français idéal qu'est Rivarol emploie des appositions. Il semblerait donc que la pensée ne raisonne pas systématiquement en sujet, puis verbe, puis complément. Ce nationalisme déguisé en universalisme engendre un délire de rationalité propre aux Français et une fermeture à un type de phrase inattendu ; et, ce type de phrase, ils l'appellent hermétisme. Ils sont comme le scénariste qui accusait Albert Cohen de son incapacité à tirer un scénario de son livre. Fleur ouverte, je suis lecteur. J'attends l'abeille.

Lire les à-côtés des livres

Le chef-d'œuvre n'est caractéristique que de lui-même. L'écrivain s'est tellement héroïsé pour l'écrire que, d'une certaine façon, il a été écrit par un autre. Un lui plus complet, plus fou, bourré de passion. Ce sont les toutes petites choses qui révèlent la personnalité complète des écrivains. Dans un catalogue de vente de manuscrits (Piasa, novembre 2007), on trouvait une lettre de Valery Larbaud qui, de Bruxelles, écrivait à Léon-Paul Fargue : « Vu l'avenue Louise et les fesses des rosiers. » Et ça ne lui *rapportait* rien que le plaisir de l'écrire. La générosité d'un écrivain se remarque à ce qu'il prodigue son talent en dehors de ses livres.

Lire quand on est écrivain

Lire porté à l'état de passion est parfois le symptôme de l'écrire. On lit, on lit, on lit, et on est presque automatiquement à on écrit, on écrit, on écrit. Les gens qui écrivent écrivent parce qu'ils ont lu. La littérature serait-elle une imitation ? Dans les sociétés où on ne lit pas, on n'écrit pas. Ah ! le Kirghizistan. Je ne sais pas si j'y retournerai demain.

Ou c'est le contraire ? Le lecteur n'a pas pu précéder l'écrivain. Un jour, un fou a éprouvé le besoin d'écrire quelque chose qui ne soit pas pratique. Ni un texte de loi, ni les minutes d'un procès, ni un compte-rendu de conseil d'administration, ni « Genèse 1 », ni la chronique de la cour. Non, non, un fou inutile qui s'est assis et a écrit : « Ah ! pouvoir m'exprimer tout entier comme un moteur s'exprime ! / Pouvoir s'avancer dans la vie aussi

199

triomphant qu'une automobile dernier modèle !», ou quelque équivalent qu'on voudra, en l'an − 1000 ou − 5000, de l'« Ode triomphale » de Fernando Pessoa.

Quand on doit devenir écrivain, enfant, il y a une boulimie de lecture qui s'apparente à la dévoration amoureuse. Cette envie feinte qu'on a de vouloir manger un beau bébé qui sourit.

Quand on lit énormément dans son jeune âge, je crois que c'est pour devenir écrivain et, si ça n'est pas réalisé, le grand lecteur devient un écrivain rentré. Il l'oublie à la longue, continue à lire, et c'est très beau s'il n'est pas amer. J'ai rencontré beaucoup moins de grands lecteurs amers de n'avoir pas écrit que de petits écrivains amers de n'être pas lus.

Quand on est en train de devenir écrivain en continuant à lire de façon disproportionnée, c'est (parfois inconsciemment) pour apprendre à écrire. On n'apprend rien dans les livres nuls. Ils sont aussi opaques que les grands livres. Ils sont nuls, et dans la nullité il n'y a aucun exemple à ne pas retenir, puisqu'elle n'est même pas mauvaise ; dans le mauvais, il y a un échec dont on peut essayer de deviner la cause. Dans les grands livres, puisque tout est parfait (mettons que cela se puisse), on ne peut pas voir ce que l'auteur a enlevé ou ajouté, puisque précisément c'est parfait. Le grand et le nul sont invisibles.

Quand on persiste à lire, on comprend l'utilité de lire plusieurs livres du même auteur à la suite. S'il sait écrire, c'est-à-dire transformer la matière première, il ne révèle pas ses caractéristiques au premier abord.

Quand on est devenu écrivain, il arrive qu'on lise pour ne pas écrire. Tout plutôt que cette prison où on se condamne soi-même à rester un an, deux ans, cinq, dix, pour finir un livre ! Les autres ont du talent, pourquoi devrais-je me tuer à ne pas savoir si j'en ai ?

Quand on est écrivain et écrivant, un livre lu débloque parfois celui qu'on est en train d'écrire. Ils n'ont pas nécessairement de ressemblance. Vous seriez surpris de voir que c'est dans les interstices que se trouvent les parentés entre écrivains. Ce qui n'y est pas mais dont nous devinons que cela pourrait y être. Le livre d'un autre ayant débloqué le nôtre, il faut s'y tenir, sans quoi c'est nous qui débloquons. Et on passe à une autre lecture, aussi séduisante, car on y retrouve des éléments de soi, et on n'écrit toujours pas. Écrire est une organisation de l'isolement dans la littérature.

Quand on est écrivain et qu'on n'est pas en train d'écrire, il y a des moments où lire passionne. Ces moments où on n'écrit pas de livre sont caverneux et asociaux, des moments où les écrivains sont des monstres avec une autre voix que la leur. Ayant fini leur roman, ils sont revenus avec gourmandise à la création des autres.

Je connais quelqu'un de très intelligent ; de très cultivé ; de très beaucoup de choses ; mais qui, quand il écrit, cata. S'il ne sait pas écrire, c'est qu'il ne sait pas lire. Il voit dans les romans leur sujet, dans les poèmes leur forme, dans le théâtre ses répliques, enfin le premier plan et l'apparent. Et le sujet réel, le plus apparent que l'apparent, l'esprit, et, derrière la forme rhétorique, sonnet, anamnèse, chiasme, narrateur non fiable, etc., la raison intérieure de la forme des phrases ? Dans la danse, tout n'est pas chorégraphie.

On peut adorer Proust et écrire comme Norpois.
Adore-t-on tellement Proust si on écrit comme Norpois ?
Un vrai lecteur, raffiné, etc., peut-il mal écrire ?
Qu'est-ce que mal écrire ?

Un comportement fréquent des lecteurs envers les écrivains consiste à contester leurs sujets. « Vous avez écrit un livre de poèmes intitulé *Les nageurs*,

pourquoi pas *Les nageuses* ? », m'a-t-on demandé.
Fascinant. Ça m'a paru fascinant. Personne n'a
jamais demandé à Cézanne, lorsqu'il montrait un
tableau de pomme : « Pourquoi n'avez-vous pas peint
une poire ? » Personne n'a jamais demandé à Fellini :
« Vous montrez des femmes à gros seins, pourquoi
ne montrez-vous pas des hommes à gros pénis ? »
Personne n'a demandé à Chostakovitch : « Vous avez
composé une symphonie, pourquoi pas une sonate ? »
Eh bien, je ne crois pas que ce soit une malveillance
particulière envers les écrivains. Ce serait plutôt, de
la part de gens bien intentionnés et balourds, une
façon de pénétrer dans la littérature ; et donc de
l'aimer. Il arrive que l'amour soit importun.

Lire à voix haute

a. les écrits des autres

a.1. erreurs déplorables

Depuis 1993, Véronique Aubouy filme des gens qui lisent *À la recherche du temps perdu*, l'un après l'autre, six minutes chacun. Il y a des connus, des inconnus, des jeunes, des vieux, des amoureux de Proust, des qui ne l'avaient jamais lu, bien d'autres. Ce projet montre encore une fois que la quantité, de laquelle on dit tant de mal, peut être un élément de la qualité. Plus qu'une simple lecture de Proust, c'est un portrait des lecteurs. Chacun choisit sa mise en scène. Celui-ci cabotine, celui-là déclame. Celle-ci ânonne, celle-là psalmodie. C'est aussi un portrait indirect de la vidéaste : ces lecteurs, elle les a choisis. Il y a sa mère, ses amis, les gens à qui, comme moi, elle a demandé de participer il y a dix ans et qui le font dix ans après. *Proust lu* durera jusqu'en 2050. C'est un des éléments de son étrangeté : beaucoup d'entre nous participent à une œuvre dont ils savent qu'ils ne verront probablement pas la fin ; Véronique Aubouy elle-même sera-t-elle vivante pour l'achever ? Question proustienne, comme celle du narrateur de *La Recherche* qui se demande s'il écrira un jour son roman.

Proust lu est enfin un portrait de la société française. Comme venait de se terminer l'enregistrement de ma lecture, chez un créateur de carrelages, boulevard Saint-Germain, à Paris, entre un beau jeune homme à l'air farouche. Il attend. Nous lui désignons le responsable. « Je vous entends parler de Proust, dit-il. Je suis fleuriste, et spécialisé dans les catleyas. » On sait l'importance des catleyas dans la relation entre Odette et Swann. Proust a irrigué la société française à un point stupéfiant. Aurait-il pensé que, près de cent ans après la pénible publication du premier volume de son roman, son nom serait connu dans son pays entier, et jusque par un jeune fleuriste qui est ainsi devenu le participant suivant au *Proust lu* ? Dans une France où un gouvernement a osé créer un ministère de l'Identité nationale, ce jeune homme, dont la boutique se trouve dans le XVIIe arrondissement de Paris, tout près de l'endroit où Proust a vécu enfant et de chez le fleuriste Lachaume chez qui il s'est servi ensuite, donne la seule réponse sensée : l'intégration par l'élitisme. Je dirais même : par l'esthétique.

Proustiens de toutes les origines, unissez-vous ! La madeleine est pour demain ! Et, pour signifier que la littérature transcende les origines que nos noms semblent fixer comme des tampons de passeport, j'associerai au nom de Marcel Proust, à l'identité nationale d'ailleurs bien douteuse, sa mère était juive, celui de ce fleuriste, né de parents kabyles, Karim Mazef.

Durant ma lecture, j'ai fait une erreur, ajoutant au mot « gens » les mots « du monde » ; « gens du monde ». Cela vient sans doute du fait que j'étais emporté par le rythme que j'avais choisi pour ma lecture joint à ce que je connais de Proust. À un moment donné mon rythme, et celui du lecteur n'est jamais exactement celui de l'auteur, car il y met son interprétation, laquelle comprend une part de contestation intérieure, s'est heurté à une expression pour lui trop brève. « Les gens. » Allant très vite piocher dans mon lexique intérieur et vérifiant tout aussitôt dans ma mémoire ce qui pourrait mieux convenir à Proust pour la compléter, il a ajouté : « du monde. » Proust m'aidait, chez qui l'expression « gens du monde » se retrouve fréquemment ; mon erreur se cherchait un fondement raisonnable. Dans le passage que j'ai lu, le sens de la phrase de Proust a été un peu faussé par cet ajout. Pas beaucoup, un peu. Faussé quand même. Il est probable que quantité de livres que nous lisons, par exemple les pièces de théâtre que nous ne connaissons que par des transcriptions d'acteurs, soient ainsi corrompus de nuances qui horripileraient leurs auteurs.

Il y a dans ce passage de Proust une « Mme d'Épinoy ». Je me suis demandé s'il ne fallait pas le prononcer « d'Épinay ». Une brève recherche ne m'a rien appris, puis je me suis dit que, si cela avait été le cas, Proust l'aurait dit, à cause de la Mme d'Épinay de Rousseau. Étant ce qu'il est, il aurait sans doute inséré un ruisseau souterrain de trente lignes sur l'origine de ce nom, puis, ici et là, quelques résurgences sur cette homonymie sonore entre son personnage et l'amie de Rousseau. Il était très friand de ces malentendus (ils se révèlent, chez lui, féconds, participant de sa vision ironique *en bien* du monde). Aucun des lecteurs du *Proust lu*, depuis 1993, ne savait que Mme de Villeparisis se prononce « Viparisis », c'est indiqué par le narrateur lui-même. Proust est l'écrivain le plus mal lu des écrivains supposément lus. Et par moi-même.

a.2. *erreurs fastes*

Notre esprit penchant vers ce qu'il a l'habitude de penser lit parfois un autre mot que celui qui est écrit. Et il s'exclame. Quelle originalité chez cet auteur !

Qui aurait pensé à rapprocher un mot pareil de ce qui le précède ? Quel effet éclairant ! Puis, continuant notre lecture, nous nous rendons compte que la chaîne du vélo a déraillé. Nous devons nous arrêter. À partir d'où cela n'allait-il plus ? Et, oui, c'était ce mot. En réalité, l'auteur en a mis un autre de bien plus banal. Nous sommes déçus. L'image ou l'idée neuve que ce mot avait engendrée, nous ne pouvons même pas la voler, car elle n'a pas été intelligemment formée.

b. ses propres écrits

b.1. lectures en public, en particulier de poésie

Je suis réticent à lire mes écrits en public, car la littérature est pour moi muette. C'est une affaire entre un silence et un autre. Le silence éloquent de la chose lue, le silence bienveillant du lisant. Et surtout la poésie. Oui, elle était, dans les temps archaïques, lue en public, oui, les troubadours ; mais, comme le dit Zadig à qui on expliquait qu'une coutume barbare à laquelle il assistait datait de très longtemps : « La raison est plus ancienne. » Si on s'est trompé pendant deux mille ans, eh bien qu'on se détrompe ensuite. Il y a des traditions fausses.

Ce qui me gêne dans la lecture à voix haute, c'est la perte des nuances et des sous-entendus qui peuvent se trouver dans un mot ou une phrase. La voix n'exprime qu'une chose à la fois. Ce qui me gêne encore plus, c'est moins la part de cabotinage qu'on peut avoir en lisant que la part politicienne qu'on peut avoir, en écrivant, ensuite. À force de lire, on connaît les réactions du public, et on écrit comme si on avait un public, au lieu de continuer à n'écrire pour personne, sinon, éventuellement, pour le sens. Nous ne parlons pas de la même façon selon que nous nous adressons à l'œil et à l'oreille.

b.2. choses écrites pour être lues en public

L'oreille entend plus distraitement que l'œil. Elle est ouverte à tous les sons, l'œil reste concentré sur le signe qu'il regarde. De là que l'éloquence orale est presque le contraire de l'éloquence écrite. L'éloquence orale doit presque toujours être ronflante et tapageuse, l'éloquence écrite peut être sèche et elliptique. Quand on s'adresse à l'oreille, il faut faire la grosse voix pour couvrir les paroles distrayantes des autres. Il faut aussi ralentir avant de dire la chose importante. L'oreille ressemble à un papillon, et elle n'est fixe que physiquement ; sensiblement, elle volette partout. On n'est jamais sûr que l'oreille captera les liens de causalité s'ils ne sont pas exprimés, et donc les donc, et c'est pourquoi les c'est pourquoi.

Je comparais le discours radiophonique et le discours écrit. Quand l'image s'ajoute à la parole, comme à la télévision, c'est l'oreille qui est plus fine que l'œil, mais l'œil devient le plus fort. Le lendemain d'une émission de télévision où j'avais dit avoir subi des plagiats, quelqu'un de proche et donc de supposément attentif me dit : « J'ignorais que tu avais été accusé de plagiat ! » L'image télévisée hypnotise ; on regarde plus qu'on n'écoute ; est-il bien peigné, qu'est-ce que c'est que cette chemise ?, et c'est un mot sur cinq ou dix qu'on entend, pas même une phrase ; et à partir de ce mot on extrapole. Le genre d'erreur que cela crée est têtu. On m'a plus d'une fois opposé un : « Je l'ai entendu ! » à une chose que je n'avais pas dite. Le téléspectateur est le plus loin du sens. L'interlocuteur (dans une conversation) est séduit par les modulations de la voix de qui lui parle et par les gestes dont il s'aide, le corps parlant s'imposant au corps écoutant. L'auditeur (de radio) ne peut être capté que par le charme de la voix dont il peut se détacher en cessant d'écouter, mais il est presque obligé de suivre. Le plus libre est le lecteur.

Lire des interviews

C'est une catégorie de livres relativement nouvelle.
Le premier à en avoir publié est sauf erreur Jules
Huret, un journaliste de la fin du XIXe siècle ; pour son
Enquête sur l'évolution littéraire (1891), il est allé poser
des questions à presque tout le monde, de Leconte de
Lisle à Edmond de Goncourt, d'Ernest Renan à Émile
Zola, de Maeterlinck à Saint-Pol Roux, et, si elles sont
parfois banales, ceux qui savaient qu'une réponse
consiste à saisir le peu de temps qu'on vous donne
pour dire ce qu'on a à dire en font de captivantes.
Depuis, il se publie partout des livres d'interviews,
comme dans la collection « *Conversation with...* » de
l'Université du Mississippi. Francis Scott Fitzgerald.
Chaim Potok. Susan Sontag. William Faulkner. La
rubrique d'entretiens de la *Paris Review* sur « *The Art of
Writing* », l'art d'écrire, a parfois invité des ploucs
millionnaires en lecteurs comme Stephen King (on

sent la naïveté du tacticien de revue qui croit être dans la vie : « On va attirer les jeunes ! »), et d'autres fois des gens qui ont des choses sensibles à dire, comme Dorothy Parker ou Kurt Vonnegut. Des volumes bien agréables pour les moments de lecture paresseuse.

Pour définir ce qu'est un bon livre d'interviews, on pourrait chercher à savoir ce qu'est un mauvais livre d'interviews. Un mauvais livre d'interviews, c'est un livre où une journaliste mondaine demande à une romancière plus ou moins connue : « Le matin, vous êtes plutôt thé de Chine ou Darjeeling ? » Ceci est un exemple authentique. Je ne dénoncerai pas la journaliste, ni d'ailleurs la romancière qui a osé répondre. Elles nous rappellent que, si Jacques Chazot est mort, Marie-Chantal est bien vivante. (Ah, écoutez, je ne peux pas tout expliquer !)

Un mauvais livre d'interviews, c'est un ouvrage promotionnel où les questions sont des flatteries terminées par un point d'interrogation. Exemple : à quel âge t'est venu le génie de la guitare, Keith ? Je dis Keith parce que c'est une spécialité des livres de chanteurs. On pourrait remplacer ce prénom par celui de Bruce, de Pete ou de Syd ; la musique est un domaine où le dithyrambe semble inversement proportionnel à la culture des critiques.

Si on tient absolument à un bon livre d'interviews, il n'est pas mauvais que l'intervieweur ait du talent. On ne peut pas compter à tous les coups sur le génie de l'interviewé. Les entretiens, c'est comme le tennis, la qualité s'améliore s'il y a du répondant. Et le répondant est donné par celui qui pose les questions. Il doit être savant sans être pédant, déférent sans être servile, curieux sans être goujat. Un parfait exemple de cet équilibre était Robert Mallet interviewant Paul Léautaud (transcription de ces causeries radiophoniques dans Paul Léautaud, *Entretiens avec Robert Mallet*, 1951).

Il y a des bons en interview. Ce sont souvent des cinéastes, et lesquels ! Orson Welles, Federico Fellini, Dino Risi. Je n'ai pas lu d'interview d'eux qui ne soit amusante, intéressante ou passionnante. Ils y faisaient autre chose que de la promotion. Il donnaient, généreusement, de l'humour, de la pensée, de l'esprit. Enfin, c'était pour eux, aussi, si j'en juge d'après moi-même. Dans la période de promotion d'un livre, métier de politicien bien différent de la littérature, vient un moment où je m'ennuie. C'est celui où, après avoir ajusté, aiguisé et poli mes réponses, je les reprends telles quelles. Je me fatigue moi-même. Alors, pour moi et pour moi seul, car le nouveau journaliste à qui je réponds se contenterait très bien de ma vieille réplique, qu'il entend, lui, pour la première fois, j'invente quelque chose de différent, qui me sorte de l'accablement, une nouvelle idée, que j'ajuste, polis, aiguise, etc.

Parmi les écrivains toujours bons en interview, je citerais Gore Vidal et, pour contredire l'idée qui pourrait venir à l'énoncé de ce nom, Françoise Sagan. On peut être spirituel sans être méchant. Ce qui caractérise Vidal est le mordant et le souvenir. Ce qui caractérise Sagan est une rêverie dont elle ne sort que pour exprimer les gentillesses les plus fermes. Jorge Luis Borges était excellent aussi, c'est peut-être même ce qu'il a fait de mieux, ces conversations d'aveugle qui a du temps. Un des meilleurs livres d'entretiens avec un écrivain est celui de Romain Gary, *La nuit sera calme* (1974). Affectueux, rageur, émouvant, drôle. On peut le lire sans avoir lu aucun autre livre de Gary. Cela doit être la meilleure preuve qu'un livre d'entretiens est bon.

Orson Welles, qu'on peut voir dans un portrait de Pierre-André Boutang en train de donner une conférence à l'IDHEC, l'ancienne école de cinéma, montre le drame d'avoir de l'esprit *et* de savoir parler. On ne crée plus. La parole remplace le travail. On ne pense pas à l'héroïsme des gens d'esprit quand, outre d'en avoir dans la conversation (ce qui est une forme de générosité), ils continuent à travailler. Oscar Wilde a été cela avant d'être condamné à se taire. La facilité à parler peut être une fatalité. Ezra Pound, lui aussi doué pour le discours, a fini par dire n'importe quoi, simplement pour mettre du carburant dans la machine à mots. Et c'est ainsi qu'on finit dans une cage à la libération de l'Europe. Ce qui les unit tous, c'est l'imprudence. Exprimer des pensées !

Ce ne sont pas les tragédies qui nous tuent, ce sont les désordres.

Dorothy Parker, *The Paris Review Interviews*, vol. I (2006)

Il n'est pas juste de faire semblant d'avoir été des hommes à la John Wayne ou à la Frank Sinatra, et ça ne l'est pas pour les générations futures, car ça rend les guerres sympathiques.

Kurt Vonnegut, *The Paris Review Interviews*, vol. I (2006)

Ce que j'aime n'est pas ce que je suis.
Orson Welles, *Interviews* (2002)

Chaque écrivain a dans la tête un théâtre avec sa troupe. Shakespeare a cinquante personnages, j'en ai dix, Tennessee *[Williams]*, cinq, Hemingway, un, Beckett s'emploie à n'en avoir aucun.
Conversations with Gore Vidal (2005)

Ça me dégoûte, l'idée que je vais mourir, l'idée que les gens que j'aime vont mourir un jour. Je trouve ça infect, sincèrement je ne trouve pas ça bien. Ce n'est pas convenable. On vous met sur la terre avec une machine à penser qui est votre cerveau. On vous donne plein de cadeaux, qui sont la vie, les arbres, le soleil, les printemps, les automnes, les autres, les enfants, les chiens, les chats, tout ce que vous voudrez... Et après on vous dit... On sait qu'un jour on va vous enlever tout ça... C'est pas gentil, c'est pas bien, c'est pas honnête.

Françoise Sagan, *Tout le monde est infidèle*
(posth., 2009)

Lire comme ami

Un ami qui nous lit sera d'autant plus amical s'il ose
servir l'intérêt du livre avant celui de l'auteur, à qui cela
servira à la longue. Gustave Flaubert avait une passion
pour le mauvais goût. Normand qui descendait des
clinquants Vikings, voyageur d'un unique voyage en
Égypte dans sa jeunesse d'où il était revenu chargé de
breloques et de voiles lyriques comme une danseuse du
ventre, cet adjudant moustachu ne rêvait que d'écrire
une épopée lyrique et voyante ; et si on l'avait laissé
faire, et il s'est parfois laissé faire, il aurait écrit comme
une brocante spécialisée dans l'orientalisme. Il doit et
nous devons beaucoup à son ami Maxime Du Camp,
écrivain lui-même et plus installé, il était à l'Académie
française, d'avoir accompli cet acte le plus amical : une
engueulade. « Arrête de déconner Gustave, qu'il lui a
dit. Il y a quelques années tu m'as parlé avec passion,
une passion méprisante mais bon, tu es comme ça, d'une

provinciale frustrée, je fais un anachronisme en employant ce mot, oui, oui, en tout cas tu vas me faire le plaisir d'abandonner tes adolescentillages et d'écrire un roman réaliste. » Et comme Flaubert avait du courage, c'est une partie du génie, il a écrit *Madame Bovary*.

C'était dans *Le Monde*, le 12 avril 2009. Traduction d'un article d'Orhan Pamuk sur Flaubert. Ni bien ni mal, du pot-au-feu dans la fréquente tradition du prix Nobel de littérature. L'article contenait néanmoins une perle, que dis-je, une perle ? Un collier, un diadème, une parure ! C'est à propos de Maxime Du Camp. On lui doit donc d'avoir convaincu Flaubert d'écrire *Madame Bovary*, mais cela, Pamuk ne le dit pas. Ce qu'il dit, après un baratin sans conséquence où il aurait aussi bien pu réfléchir sur l'influence de Google et faire de la morale sur Wikipédia, c'est que Du Camp était « efféminé, mais fiable ». Et voilà comment on peut fuir son pays en se disant persécuté par les intégristes et écrire « efféminé, mais fiable ». Efféminé, mais fiable. Ça va me faire une rengaine. Chez le marchand de voitures. « Je ne saurais trop vous conseiller ce coupé, monsieur. Efféminé, mais fiable. » Chez le marchand de tarama… « Efféminé, mais fiable. » « Efféminé, mais fiable… »

*

Pourquoi lire?

Le lecteur est l'héritier

Parmi les descendants, enfants, ayants droit, présidents d'associations des écrivains dont j'ai fait un éloge enthousiaste dans tel ou tel de mes livres alors que plus personne ne parlait d'eux, qui m'a écrit ? personne. Néant côté celui-ci. Néant côté celui-là. Celui-là ! Il était bien piétiné, pourtant, et son héritier aurait dû m'envoyer six cents kilos de roses. Au reste, je n'écris pas de livres pour recevoir des lettres de neveux. Dans un moment de désœuvrement (ceux où je n'écris pas, où je ne lis pas, où je n'aime pas, où je ne suis pas très estimable), je constatais, avec une espèce de curiosité, que les vrais héritiers des écrivains sont leurs lecteurs.

Je ne parle bien sûr pas des universitaires français qui s'estiment propriétaires de la littérature et considèrent les écrivains comme des usurpateurs ; et,

dans des maisons bien grises, ils publient des livres
bien plats, compilés par des étudiants en thèse dont
ils ont bien sucé les recherches, ne s'intéressant qu'à
leur clan, ne donnant de références que de ce clan, et
si banals, si dépourvus d'idées et de talent, si
accablants d'ennui dès la première ligne lue qu'ils
n'ont jamais eu un lecteur spontané, ne se perpétuant
que parce qu'ils inscrivent leurs propres livres dans la
bibliographie de leur cours, obligeant des étudiants à
les lire, qui les haïront donc à moins que, mites
rêvant de succéder à des mites, ils ne deviennent les
mêmes dès l'âge de vingt ans, sans plus de talent ni
d'idées, mais avec le même sens tenace de
l'apartheid et de la reproduction. Ces universitaires
ne savent pas que l'apartheid éloigne, en effet, *mais
ceux qui l'organisent*, ni que toute institution exclusive
pourrit lentement. Et les écrivains s'en vont à la
plage, sifflotant, suivis par les lecteurs, sous le regard
haineux des mites, bouffies, expirant dans l'ombre.
Le premier arrivé gagne une glace à la Woolf !

Leurs lectures

Question : — Comment avez-vous passé le temps en prison ?
Victor-Emmanuel de Savoie, fils du dernier roi d'Italie :
— J'ai lu *Crypto*, de Dan Brown.

Chi, 16 août 2006

Qui lit les chefs-d'œuvre?

Dans cet hôtel oriental où j'ai loué une chambre pour achever un livre en pouvant nager l'hiver, les couples de jeunes Anglais sont au bord de la piscine avec *Newsweek* et des romans de Michael Crichton. Romans assortis au magazine. Je crois n'avoir jamais de ma vie croisé quelqu'un lisant un grand livre. Jamais. Personne. C'est ma stupéfaction. Elle me fait me répéter la question, pour sonner le gong aux tréfonds de ma mémoire, jamais? personne? mais non. À aucun lendemain de mariage, dans aucun jardin de campagne, sur aucune plage, au bord d'aucune piscine, dans aucun train aucun avion aucune voiture, nulle part et jamais jamais jamais, je n'ai vu qui que ce soit lire Proust, Mallarmé, Tolstoï... Qui lit les chefs-d'œuvre?

Ah si, le fourreur de ma mère. J'avais 12 ou 13 ans, je l'accompagnais à Pau où elle déposait un manteau à garder au froid l'été. Ce vieil homme droit et élégant lisait une CUF derrière son comptoir. Il la déposa avec affabilité et s'occupa du manteau comme s'il s'agissait d'un vers très ancien à préserver tout aussi précieusement. Un auteur latin, grec ? Je ne m'en souviens plus ; j'aimerais bien le savoir, maintenant. Impossible. C'est à cela que sert la fiction, combler les trous de l'ignorance par l'imagination.

Lire pour se réveiller
d'une anesthésie

Depuis 2006, le *New York Times* s'imprime et se diffuse en France, alors que jusque-là on n'y trouvait que le gros numéro du dimanche, importé, pour quatorze euros. Celui-ci en coûte six, et c'est le même journal qu'aux États-Unis, quoique dans la version nationale, ce qui nous prive de l'agréable *Metro Section* donnant des nouvelles de New York ; il est sans couleurs et d'un format plus petit, flashé je pense ; plus triste, comme faux. De toute façon, lire un journal à l'étranger et le lire dans son pays d'origine n'est pas du tout la même chose : il s'évente. De même, les journaux régionaux lus ailleurs que dans leur région. Différence entre le journalisme et la littérature, laquelle perd beaucoup moins de substance en voyageant. La substance est dans la littérature même, et communiquée au lecteur ; elle est en grande partie extérieure au journalisme, et apportée par le lecteur. La littérature est une création, le journalisme une interprétation.

Le journalisme ne tient pas qu'au papier journal. Il y a parfois de la littérature dans les journaux, et du journalisme dans quantité de livres qui s'étiolent sitôt dépotés, comme les mémoires d'hommes politiques étrangers. La presse est un compromis avec le public. Autre différence avec la littérature, qui est ce qu'elle est et à la rencontre de qui viennent éventuellement des lecteurs. Ayant accompli l'acte de choisir, ils sont des adultes, et non une entité plus ou moins indéfinie et distraite qui mange les nouvelles avec les croissants du matin.

Le journalisme est une réitération d'images destinée à apaiser la violence des choses. Le 11 septembre 2001 et pendant des jours entiers, toutes les télévisions américaines et européennes ont diffusé en boucle les images des avions pénétrant dans les tours du World Trade Center et celles des tours s'effondrant. C'était moins destiné à informer qu'à nous mener de la stupéfaction à l'hébétude. À la centième piqûre, on ne souffre plus. C'était peut-être un bien. L'anesthésie par la télévision a, qui sait ? empêché des émeutes contre les populations arabes immigrées. C'est pour la même raison qu'on a arrêté la diffusion des images où l'on voyait des Palestiniens de Ramallah exploser de bonheur à l'annonce des attentats. Et c'est pour la même raison encore que le gouvernement américain a interdit aux télévisions de diffuser les images des gens se jetant par les fenêtres pour échapper au feu, les images de leurs corps chutant, les images de leurs corps écrasés. (L'interdiction de filmer les cercueils rapatriés des soldats tués en Irak procédait d'une autre intention. Le pays pour lequel ils étaient morts, puisqu'on disait ça comme ça, avouait qu'ils n'étaient pas morts pour la patrie en empêchant de se recueillir sur eux.) La littérature, n'ayant pas affaire à des masses, peut montrer les choses même si elles ne sont pas agréables ; l'émotivité individuelle est moins grande et moins éruptive qu'une émotivité collective. Jay McInerney, dans son roman *La Belle Vie* (*The Good Life*, 2006), a vengé par une seule image toutes les images interdites. C'est l'image d'un son. Il parle des corps tombant des tours qui s'écrasent avec un bruit de fruit pourri. Image tellement évocatrice qu'il n'y a besoin de rien décrire d'autre, qu'il ne décrit rien d'autre. Les tours jumelles ont été rendues à l'honnêteté de la souffrance humaine.

(Et c'est pour cela que quand, le 11 septembre 2001, Karlheinz Stockhausen a dit que leur chute était le plus grand événement esthétique du XXe siècle, c'est à juste titre qu'il s'est fait engueuler par le monde entier. C'était de la fausse intelligence, du manque de cœur. Il se donnait donc un défaut de plus que George

W. Bush, qui n'a jamais prétendu à l'intelligence. La beauté de la catastrophe n'existe que dans les films. Si on trouve magnifiques les truquages de *2012* montrant l'effondrement de Los Angeles dans un tremblement de terre, c'est qu'on sait que c'est une fantaisie. L'horreur apparaîtrait si l'on voyait en gros plan un os cassé jaillir d'une cuisse.)

La différence essentielle de ces deux sortes d'écrits est le rapport à la mort. La littérature parle de la mort, le journalisme parle de morts. La littérature peut parler de choses qui ne font pas plaisir, le journalisme ne veut pas déplaire. Il parle donc, non de la mort, mais d'hommes morts. Ce sont des morts qui font plaisir, permettant de s'apitoyer sans être émus ; des morts lointains, des morts de maladies qu'on n'a pas ; des morts qui ne concernent que notre charité, notre vertu, pas notre cœur.

Lire sur autre chose
que du papier en volumes

Il est très commode de penser que la littérature est pure et qu'il serait grossier de parler des conditions matérielles qui lui sont faites. Les conditions matérielles de l'art ont une influence sur la forme de l'art. La façon dont l'écrivain est payé (« Au fond, on ne paie pas l'écrivain : on le nourrit, bien ou mal selon les époques », Jean-Paul Sartre, *Qu'est-ce que la littérature ?*), mais surtout le support de l'écrit. Le code d'Hammourabi était-il plus dur parce qu'il était en pierre ?

Les livres latins se présentaient en rouleaux. La manière de lire était par conséquent différente de la nôtre. Des choses en moins, des choses en plus. On ne pouvait pas feuilleter. Le verbe n'existait même pas, puisque les livres n'étaient pas en feuilles. Le déroulage devait entraîner une lecture plus lente, plus appliquée. Éviter la corvée de devoir réenrouler pour retrouver un passage ! Et donc, manières d'écrire différentes. Avant d'écrire, l'écriveur a été un lecteur. Il a plus ou moins consciemment assimilé une sorte de rythme commun de lecture et écrit en conséquence, moins dans les détails que dans l'ensemble, mais l'ensemble conditionne les détails. Dans l'Antiquité, les œuvres étaient plus hachées – chose qu'on reproche en général aux temps modernes et technicisés. Des poèmes, des aphorismes, des dialogues ; la relation d'aventures suivies de plusieurs personnages, qu'on a appelée roman, était difficilement envisageable. Si peu qu'elle n'a quasiment pas été envisagée. Le premier génie de Pétrone a été un génie de forme. Écrire un *roman*. Comme toute audace extrême, celle-ci est restée isolée et n'est pas apparue différente des stupidités qui sortent incessamment de la tête des désœuvrés, toqués, illuminés, retraités à idées et autres raseurs souriants et inutiles. Et il a fallu bien du temps pour que d'autres romans apparaissent, laissant le *Satiricon* lu par les araignées dans les réserves du salon des inventeurs du dimanche. Des romans il y avait eu, mais c'étaient des récits héroïsés de la carrière de généraux, comme, à Byzance, les dizaines de *Romans d'Alexandre* sur Alexandre le Grand, aussi réguliers que les biographies de Shakespeare en Angleterre ou les vies de divers Kennedy aux États-Unis. Nous avons perdu quelque chose en perdant les rouleaux, gagné autre chose. Avec l'e-book et l'iPhone, la lecture de romans épiques diminuera peut-être, on en écrira moins. Si un éditeur d'applications, ce rectangle qui, tapoté, laisse apparaître une image sur l'écran de l'iPhone, me propose d'y publier des poèmes, changerai-je de façon de les écrire ? La seule chose préoccupante est l'impossibilité d'annotations sur un écran, mais c'est déjà en train de changer et le lecteur pourra à nouveau s'approprier la lecture. Le roman a peut-être tenu aux livres en volumes, mais la littérature ne dépend pas du papier. Ce petit caméléon est plus solide que ces grands dadais de diplodocus qui se croyaient immortels parce qu'ils mesuraient 35 mètres et ont péri d'un rhume au premier coup de froid. Ayant lu Darwin, le poète s'adapte. Sa devise est : « Ça se couvre, écrivons un orage. »

Pourquoi ne pas lire ?

a. par tact

Lire, lire, c'est très bien, mais il y a aussi des moments où il est bon de ne pas le faire. Après l'amour, par exemple. Alors que, séparé à l'instant de notre partenaire, nous conservons encore un peu de lui sur nous, ou plus exactement, avons en nous une présence ravissante et fugace, nous allons en chercher une autre, comme si rien d'essentiel ne s'était passé, que le fulgurant fût contradictoire avec le durable et que l'activité de l'esprit qu'est la lecture (d'où la sensation n'est pas absente) fût, ou bien un délassement, ou bien plus importante que celle du corps (d'où l'esprit n'avait pas été absent). « Tu me trompes avec Erri De Luca, maintenant ? »

233

b. par militantisme

Des amis écossais refusent de lire *Harry Potter*, dont le miel publicitaire englue leur pays. Les touristes visitent le château d'Alnwick (ducs de Northumberland) parce qu'on y a tourné le film ; partout en Écosse on vend des produits dérivés « Harry Potter ». Ce roman qui pouvait passer pour sympathique parce qu'il conduisait les enfants à lire est devenu une des plaies du monde : il a aussi poussé les adultes à le lire. Certains livres comme certaines personnes débloquent parfois une habitude de la société. Au début, ça paraît cool, et ce n'est qu'une saloperie. J.K. Rowling a décomplexé les adultes du monde entier, et les romans pour jeunes adultes ont envahi le monde des aînés. On pourrait en écrire un *Discours de l'arriération volontaire*.

Le lancement du dernier volume de la série, à minuit pile un jour de 2007 dans des milliers de librairies du Royaume-Uni, avec lecture d'extraits par l'auteur au château d'Édimbourg, a été une opération promotionnelle répugnante à l'égal du lancement de la Xsara Picasso. La lecture prostituée au lucre. Si les châteaux de ce pays deviennent des parcs d'attractions sous prétexte qu'il faut entretenir les toitures, il vaut mieux raser les toitures. Cela complétera l'étonnant spectacle des églises catholiques vidées par Henry VIII qui se dressent, désossées, ajourées, pareilles à des carcasses de dinosaures paralysés d'un coup, sur les vertes pelouses de ce pays violent. On lit dans leurs parcs.

c. *par sotte superstition*

J'ai longtemps évité de lire le livre d'Hervé Guibert sur le sida, *À l'ami qui ne m'a pas sauvé la vie* (1990), à cause d'une superstition, ou d'une conjuration : je ne veux pas connaître ce que je pourrais attraper. C'est un livre étonnant par ses moments de mesquinerie. On pourrait comprendre que, touché par une maladie mortelle, au lieu de se passionner pour soi-même, on s'intéresse enfin aux autres, mais non. Et renfermement sur soi, rage au lieu du pardon, enfin tout ce qui rend la maladie haïssable. Cette armée d'occupation du corps rétrécit l'esprit. Elle semble ne nous laisser, pour combattre l'accablement, que l'acidité. Non que, bien portant, Guibert ait été d'une générosité excessive. Il a pourtant écrit de bons livres. Souffrant d'un narcissisme avide de célébrité comme une gamine de 14 ans, jaloux et l'étant devenu de sa maladie qui lui volait la vedette, il a tenté d'en faire quelque chose en se disputant avec elle pour lui donner une forme, elle, cette marche forcée vers l'informe. Quand sa méchanceté de pincé s'exalte, il a de brillants caquetages d'oiseau délirant et précis qui s'emploie à déchiqueter d'anciens ennemis, avec un humour sarcastique qui fait prendre en pitié son cœur blessé.

Dans *L'Incognito* (1989), le roman sur son séjour à la villa Médicis, il y a de la drôlerie, de la légèreté, pas de ressentiment dans la vengeance ; seul un susceptible comme lui pouvait montrer les petitesses de Matou, Fistounette, Clarinette, Luronne et Fourbezi, les cache-nom sont amusants comme dans un conte. Guibert est avec Bernard-Marie Koltès que je citais plus haut, ainsi que d'une certaine façon Jean Échenoz, un des auteurs de cette manière néo-classique qui aura été un moment des années 1985-1990 en France, rhétoriques, parfois à vide, pas toujours, avec des moments de beau lyrisme froid, est-ce que Marie-Joseph Chénier serait une bonne comparaison ? Guibert a le sens du mot et plus précisément du verbe : « Les tapins n'y *fomentent* pas de somptueux glaviots », et comme est bien le « travelo sans effort de poitrine » ! Je n'ai pas oublié deux autres phrases de ce livre, ne peut-on pas dire qu'une lecture est réussie lorsqu'il nous en reste des phrases ? Elles sont comme des foulards dans un tiroir, aux couleurs toujours fraîches, conservant à jamais dans leurs plis l'odeur délicieuse d'une pensée, d'une émotion.

d. pour cesser d'être offusqué par des écrits indignes

J'ai entrepris de lire les *Lettres* de Céline à la NRF, que je m'entends recommander comme un chef-d'œuvre depuis 108 ans. Eh bien, outre les injures combinées à la plainte, marque habituelle du vieux ratier larmoyant qu'était l'auteur du *Voyage au bout de la nuit*, on y trouve l'impertinence suivante, lettre à Jean Paulhan, 18 février 1948 : « Quand s'ouvrira la prochaine boucherie je vous assure qu'on me trouvera dans le camp des bouchers... plus jamais du côté des veaux... » Et, comme si cela ne suffisait pas, comme s'il fallait, avec de la mélancolie pour les temps pas si anciens où il réclamait des exterminations, s'en persuader, il répète : « plus jamais. » Un homme qui avait assez passé de temps en compagnie des bouchers, n'est-ce pas, comme le montre mille fois sa correspondance dans la Pléiade, en voici une, une seule, lettre à Doriot, le chef collaborationniste, 1942 : « Le juif n'est jamais seul en piste ! Un juif, c'est toute la juiverie. [...] Un termite : toute la termitière. » Indifférent aux gémissements qu'avait pu engendrer sa bienveillance, Céline avait organisé son propre numéro de gémissements pour cause de dix-huit mois de prison à Copenhague à la fin de la guerre, dont seuls douze avaient été passés en prison, les six autres il a été placé dans un hôpital. Et il s'est plaint, et il s'est re-plaint, et il s'est sur-plaint, pendant que, en France, ses amis collabos, au moins, se suicidaient ou étaient exécutés, comme l'a écrit Bernard Frank, dans quel livre, je vais chercher, je reviens. Si jamais écrivain a été dépourvu d'honneur, ça a été Louis-Ferdinand Céline, 1894-1961. La lettre à Paulhan se trouve page 47 des *Lettres à la N.R.F.*, qui ont été aussitôt fermées par moi, et à jamais. Je n'ai pas de temps à perdre avec des politiciens pareils. Nous donnons parfois trop de notre temps, c'est-à-dire de notre vie, à des écrivains qui ne nous méritent pas.

Le bruit organisé par eux et par la meute qui les entoure et par les spécialistes qui font une carrière sur leur pelade et par les critiques qui craindraient de manquer un fauve en ne les vantant pas entraîne la perpétuation de talents surenflés au détriment des talentueux en silence. Hélas, le monde fait plus attention au bruit qu'au pensé. Et voilà pourquoi nous nous montrons, imbéciles que nous sommes, au lieu de rester enfermés comme des ayatollahs que les fidèles viendront nécessairement voir dans leur retraite. Ha ! plus d'un est resté tout seul à Qom, jamais visité que par les vents, qui traversent en persiflant les côtes de son squelette pendant que, tenant par un bout à son occiput, son turban claque de rage. Plutôt rester sans lecteurs que d'en avoir qu'on a fait grimper du caniveau.

e. pour éviter de devenir fou

Ne pas oublier de s'arrêter de lire quand on est pris d'un délire d'interprétation. Je crois avoir tout compris d'un auteur, et je suis bête. De même qu'il vaut mieux ne pas oublier qu'on ne sait rien, parce que c'est vrai, il vaut mieux se dire qu'on est bête, car, outre que c'est très possible, c'est le seul moyen de ne pas devenir fou.

f. pour réfléchir

La meilleure raison de ne pas lire, la voici : pour réfléchir. Car enfin, tout le temps que nous lisons, nous sommes comme le serpent devant le flûtiste.

g. danger

On pourrait dire : je lis parce que ça m'est indispensable. Lire, c'est comme respirer. Je ne pourrais pas m'en passer. Hélas, j'ai connu de grands lecteurs qui avaient cessé de l'être. Que le dieu de la lecture qui n'existe pas, c'est-à-dire la ressource que nous trouvons éventuellement en nous, m'épargne ce destin. Ou pas. Alors, à bord d'un bateau de croisière américain semblable à un gratte-ciel couché sur le flanc, je lirai, ramolli et souriant, le catalogue de mon prochain voyage organisé.

Comment lire ?

Je répondrais : avec méthode. La passion est la plus raisonnable.

Les livres

Ah, ce que j'aurai pu aimer les livres. Leur forme, leur odeur, leur promesse. Et pourtant, quelle forme banale, et parfois quelle odeur déplaisante, quelle déception. Tant pis. Car enfin, de cet objet somme toute si commun, noir sur blanc, mouche sur laid, surgit, d'autres fois, un monde. Et voilà pourquoi la lecture n'est pas contre la vie. Elle est la vie, une vie plus sérieuse, moins violente, moins frivole, plus durable, plus orgueilleuse, moins vaniteuse, avec souvent toutes les faiblesses de l'orgueil, la timidité, le silence, la reculade. Elle maintient, dans l'utilitarisme du monde, du détachement en faveur de la pensée.

Lire ne sert à rien. C'est bien pour cela que c'est une grande chose. Nous lisons *parce que* ça ne sert à rien. Quand on pense qu'on peut réussir une carrière

dans le CAC 40 sans avoir jamais rien lu de sa vie !
C'est pourquoi il faut être gentil envers les puissants
qui lisent. Ils pourraient faire autre chose.

Mais si, lire est indispensable, ce que beaucoup ne
savent pas. Et ils vont dans la vie, respirant des
poumons et suffoquant du cerveau.

La littérature et sa cousine la lecture vont ensemble
dans une jungle dont l'indifférence est une forme
d'hostilité. La littérature est allègre, imprudente,
grave et fragile comme le printemps. La lecture,
marchant à son côté, un pas en arrière, en lui donnant
la main, est attentive, par moments distraite. Elle
regarde parfois sa parente avec irritation et parfois
l'oubliant marche avec un sourire. D'autres fois elle
lui lâche la main pour ramasser, tombé d'un arbre, un
livre oublié dont la couverture se revivifie comme une
chair à son contact. Elle prononce une formule au
moment où elle le ramasse : « Le livre est un grand
arbre émergé des tombeaux » (Alfred Jarry, *Les
Minutes de sable mémorial*). Les pieds de ces deux
nymphes frôlent la terre, mais leur tête ne touche pas
les nuages. Elles vont ensemble, indissociables. La
lecture fait partie de la littérature, les deux sont la vie.

Lorsque je lis en marchant, je fais un concours avec
la mort. Il n'est pas différent de celui de tout lecteur,
car la voici, l'unique profonde raison de lire :

provoquer la mort en duel. Combat de masse soutenant celui que, à l'avant-garde, mènent les écrivains. Un cercle amer, antidémocratique, au fond, et il n'y a pas loin de l'antidémocratique à l'inhumain (la lecture comme la littérature comme le parlementarisme est une question de hasard ; le bon y survient sans prédétermination d'origine ou de formation), juge que tout est perdu. Il me fait penser à ce mot de Dorothy Parker à un jeune réactionnaire : « Arrêtez de voir la vie en rose. » Tout est perdu depuis toujours, mais on fait en sorte de ne pas céder. L'écrivain et le lecteur marchent en équipe vers l'échec, car la mort gagne toujours, mais l'art est ce qui lui résiste le plus longtemps. On ne connaît plus le nom d'empires disparus, il nous reste des œuvres de poètes millénaires. La mort est un oubli, bien sûr, mais surtout une simplification. La lecture nous restitue les complexités adorables de la vie contre les marionnettes de la mort. La bibliothèque est le seul concurrent des cimetières.

L'œuvre du lecteur, sa lecture, meurt avec lui. Du moins il le semble. Je me souviens encore de ma grand-mère parlant avec amour de Stendhal. Quand elle est transmise et comme toute transmission, la lecture se transmet au-delà du transmetteur. Elle vainc un instant la mort, si brièvement que ce soit. Les œuvres des écrivains ne durent qu'un peu plus longtemps ; c'est d'une ironie bien désolée que Malherbe écrit « ce que Malherbe écrit dure éternellement ». Les livres meurent et mourra toute littérature, comme, sans aller chercher loin dans l'espace ni le temps, celle des Étrusques, ces Italiens d'il n'y a pas trois mille ans dont nous ne savons très exactement rien. Et cette obèse avec du sang au menton, la mort, se réjouit de ce que leurs frères ultérieurs n'aient pas une larme pour elle. Quoi, pas une larme ? Pas une pensée. Quand elle a vaincu, elle a vaincu. Rejoignez mon piteux combat et la horde de faibles qui lisent.

Et quand l'objet en papier aura disparu, pour la satisfaction douloureuse des amers qui diront : je l'avais prédit, nous répondrons : et alors ? Nous ne lisons plus les rouleaux de Rome, seuls quelques érudits savent qu'ils ont existé, et la littérature romaine demeure, en partie. Plus noirs que ces amers, on dira que l'informatisation servira encore mieux les puissants, qui pourront ranger l'humanité dans des appartements toujours plus petits, puisque plus besoin de bibliothèques et tout dans iPad, et que, un jour, quand tout cela sera réduit à un tout petit point rouge, il clignotera fébrilement, puis, hoquetant de moins en moins,
il
s'éteindra.
Ne lisant plus, l'humanité sera ramenée à l'état naturel, parmi les animaux. Le tyran universel, inculte, sympathique, doux, sourira sur l'écran en couleurs qui surplombera la terre.

Table

Crédits des illustrations

p.30 : Brandon Thibodeaux / Getty Images.

p.39 : DR.

p.44 : Riton la Mort.

p.46 : Scott Eklund / *Seattle Post-Intelligencer* d/b/a Seattlepi.com.

p.49 : René Magritte, *La Lectrice soumise*, 1928 © Photothèque René Magritte – ADAGP, Paris 2010.

p.67 : The Granger Collection NYC / Rue des Archives.

p.93 : Pablo Picasso, *Femme lisant*, 1920 Pablo Picasso / Musée des Beaux-Arts de Grenoble © Peter Willi / Bridgeman Giraudon © Succession Picasso 2010.

p.94 : Roger de La Fresnaye, *Homme lisant*, vers 1910-1920 © Collection Centre Pompidou, dist. RMN / Jacques Faujour.

p.95 : Jacob Jordaens, *Portrait d'homme*, dit autrefois *Portrait de l'amiral Michel-Adrien Ruyter* © RMN / Stéphane Maréchalle ; Vincenzo Foppa, *Le jeune Cicéron lisant*, vers 1464 © Wallace Collection London, UK / Bridgeman Giraudon.

p.96 : Danny Lyon / Magnum Photos.

p.100 : Allori Angelo di Cosimo *dit* Bronzino, *Portrait d'un jeune homme*, dans les années 1530 © The Metropolitan Museum of Art, dist. RMN / image MMA.

p.132 : E.O. Hoppé / Corbis.

p.170 : Rue des Archives / i.

p.171 : Carlo Bavagnolli / Time Life Pictures / Getty Images ; Fox Films / Album / AKG.

p.172 : Michael Ochs Archives / Getty Images.

p.215 : Fernando Vicente ; Kurt Vonnegut Jr. Trust.

p.216 : Xavier Salvador Ramisa ; © Junior Lopes.

p.217 : Antonelli / Iconovox.

p.220 : Le Maréchal Lyautey © Association nationale Maréchal Lyautey.

Cet ouvrage a été composé par IGS-CP
à L'Isle-d'Espagnac (16).

Cet ouvrage a été achevé d'imprimer en février 2011
sur les presses de Normandie Roto Impression s.a.s.
à Lonrai (Orne)
N° d'imprimeur : 110534
N° d'édition : 16596
1ère édition : septembre 2010
Nouveau tirage : Dépôt légal février 2011

Imprimé en France